Johannes Koren
Unbekanntes Graz

JOHANNES
KOREN

UNBEKANNTES GRAZ

EIN ETWAS ANDERER STADTFÜHRER

Gewidmet Eva, Evi und Johannes
sowie der großen Familie der Grazerinnen und Grazer,
ob sie hier leben oder irgendwo in der Welt.

Steirische Verlagsgesellschaft

Alle Abbildungen von Johannes Koren mit Ausnahme von:

Seite 9	*Grazer Congress*
Seite 25	*Österreichische Gemäldegalerie Belvedere, Wien*
Seite 46 unten	*Büro Architekt Kada*
Seite 51 oben	*Rendering: JJS/Graz 2003*
Seite 54 unten	*Rendering: Urban-Filter.com*
Seite 63	*Bild- und Tonarchiv, Graz*
Seite 65	*Bild- und Tonarchiv, Graz*
Seite 96	*Universität für Musik und darstellende Kunst, Graz*

Umschlaggestaltung und Layout: H. Knappitsch
Druck: LeykamDruck, Graz
Gesamtherstellung: Steirische Verlagsgesellschaft m. b. H.

ISBN 3-85489-079-6

Es ist immer ein Risiko, sich jemandem anzuvertrauen. Auch beim Versuch, einer Stadt näher zu kommen, ihre Stein gewordene Geschichte zu erkunden und ein wenig von dem zu ergründen, was ihren Charakter und ihre Ausstrahlung – vornehmer ausgedrückt ihr Flair – ausmacht.

Vertrauen ehrt immer. Groß ist daher die Freude über den Mut der geneigten Leserinnen und Leser, mit mir zu einer siebentägigen Erkundungsreise aufzubrechen, bei der die bekannten Sehenswürdigkeiten von Graz ebenso wenig zu kurz kommen sollen, wie weniger Vertrautes oder fast Unbekanntes. Es ist keine wissenschaftliche Expedition, auf die wir uns einlassen wollen, bei der es in erster Linie um Jahreszahlen und Künstler geht. Wie wollen beides nicht beiseite schieben, es aber so dosiert, in das was wir sehen, riechen und fühlen, einfließen lassen, dass das Lebensgefühl in dieser Stadt und seine „Auslöser" erahnbar werden.

Auf unserem gemeinsamen Weg durch die Stadt – seit 2000 übrigens Weltkulturerbe – möchte ich Ihnen zeigen, was mir bemerkenswert erscheint, was ich über die steirische Landeshauptstadt und europäische Kulturhauptstadt 2003 aufgestöbert habe und manchmal auch, was ich mir zum einen oder anderen denke. Das Risiko, Kritik hervorzurufen oder gar zu provozieren gehe ich mit Vergnügen ein. Im Wissen, dass alles, was wir erfahren nur bruchstückhaft sein kann, hoffe ich trotzdem, dass wir ein Mosaik von Eindrücken schaffen werden, das eines klar macht: Wer Graz besucht, liebt es, wer es besser kennen gelernt hat, kommt wieder, wer wiederkommt, bleibt. So wollen wir uns auf unsere sinnliche Reise ins „Unbekannte Graz" aufmachen.

Bei unserem gemeinsamen Abenteuer habe ich unsere „Bruchstücke" selber fotografisch festgehalten, im Wissen, dass meine Bilder nicht die Qualität von professionellen Kunstfotos haben können. Aber sie sind aus dem Augenblick geboren, und jeder, der mitgeht, soll die Möglichkeit haben, die Stimmung, die sie wiedergeben nachzuvollziehen oder, wenn er will, für sich selber zu fotografieren ohne viel Kunstgriffe und großen technischen Aufwand.

Lassen Sie es uns versuchen.

Johannes Koren

Das Herz und die Krone

Zum Start in unseren ersten gemeinsamen Tag schlage ich als Treffpunkt die Weikharduhr vor, jene schlichte, chromglänzende „Normaluhr" auf dem Hauptplatz neben dem Arkadengang des Luegg, die aus den fünfziger Jahren des vorigen Jahrhunderts stammt, ihren Namen dem Uhrenhaus verdankt, vor dem sie steht und die seit Generationen den Grazerinnen und Grazern als wohlbekannter Treffpunkt dient, vor dem so mancher Begrüßungskuss getauscht und so mancher Blumenstrauß eines Wartenden verwelkt ist.

Von hier hat man einen guten Blick auf die gegenüberliegende Westfront des Platzes und staunt über ihre architektonische Ausgewogenheit. Im Zentrum des Platzes verbreitet der große Brunnen mit dem Standbild des Erzherzog Johann, umgeben von Frauengestalten, welche die vier Flüsse Mur, Enns, Drau und Sann symbolisieren, angenehme Kühle. Wenn wir über den „Steirischen Prinzen" hinwegschauen, sind wir verblüfft über so manches künstlerisches Kleinod, das wir an den barocken Hausfassaden und am ausgewogenen Renaissancebau der Adlerapotheke erblicken, wenn wir den Blick über das Menschengewühl zwischen den Obst- und Würstelständen erheben und dem reichen Angebot der Auslagen der lockenden Geschäfte entziehen.

Das Erzherzog-Johann-Denkmal vor dem mächtigen Rathaus aus 1893.

Die „Adlerapotheke", die mit der „Hirschenapotheke" in der Sporgasse um den Rang des ältesten „Heiltempels" ringt.

Wenden wir uns dem ersten Stock des mächtigsten Bauwerks der Westseite des Platzes, nämlich dem Weißschen Haus gleich neben dem Rathaus zu, sehen wir über dem Hauseingang ein wunderschönes barockes Madonnenrelief (Bild links) und damit die erste der insgesamt fünf verschiedenartigen Madonnendarstellungen an den Gebäuden rund um den Hauptplatz. Das Weißsche Haus, 1710 vom reichen Geldwechsler Adam Weiß erbaut, der 1729 aufsehenerregend in Konkurs ging, ist nicht nur als Bau bemerkenswert, sondern auch durch die Tatsache, dass es nach dem Konkurs in Wohneinheiten aufgeteilt wurde, die den Gläubigern zufielen. Damit gab es in Graz schon in der Barockzeit das erste Eigentumswohnhaus.

Zwischen dem Rathaus und dem Weißschen Haus entlassen wir unsere Blicke einen Moment vom Hauptplatz, der für 2003, dem Jahr, in dem Graz Kulturhauptstadt Europas ist, durch neue Marktstände, Beleuchtungskörper und einen neuen Bodenbelag gänzlich umgestaltet wurde, und wenden die Aufmerksamkeit jenem mächtigen Geviert im klassizistischen Stil zu,

Aus- und gleich wieder eingegraben wird hier die Vergangenheit der Stadt.

welches das Congresszentrum von Graz beherbergt mit dem größten Konzertsaal der Stadt, dem prunkvollen Stephaniensaal, dem modernen ganz in Holz gehaltenen Steiermarksaal und von Gegenwartskünstlern gestalteten Tagungseinheiten und Gängen. Ein Congresszentrum in historischem Ambiente, allen modernen Anforderungen entsprechend und die Jahrhunderte durch die Kunst verbindend. Und im Erdgeschoß des Gebäudekomplexes an der Ecke zur Landhausgasse befindet sich als zusätzlicher Anziehungspunkt das Spielcasino von Graz, mit seinen vom Innsbrucker Architekten Prachensky gestalteten Räumlichkeiten.

Gegenwartskunst im Congresszentrum: Teppich von Thomas Stimm, Vorhänge von Hubert Schmalix.

Auf den Hauptplatz zurückgekehrt, schauen wir rechts vom Weißschen Haus auf den hübschen Renaissanceerker und den kunstvoll geschnitzten Adler über dem Eingang der nach ihm benannten Apotheke, die zu den ältesten der Stadt gehört. Und gleich daneben steht das Haus „Zur blauen Kugel" mit einem großen Christophorusfresko, das ursprünglich von Franz Ignaz Flurer stammte, 1892 von Paul Scholz erneuert wurde und daran erinnert, dass sich hier im 16. Jahrhundert das Gasthaus „Zum Heiligen Christophorus" befand, bevor es zuerst in den Besitz von Hans Adam Weiß überging, der uns schon bekannt ist, und schließlich in den der Kaufmannsfamilie Kroath. Auch dieses Haus ziert ein Madonnenrelief, dessen Original aus dem Jahr 1730 stammt. Im nächsten Haus gegen Norden mit der Nr. 9, in dem jetzt Fotoartikel, Textilien für junge Leute und optische Artikel den Ton angeben, wurde dereinst Lebzelt, Wachs und Met hergestellt und von 1939 bis in die fünfziger Jahres des 20. Jahrhunderts gab es hier im ersten Stock das gemütliche Restaurant „Rosenstöckl".

Bevor wir von der Weikharduhr zum Erzherzog-Johann-Brunnen gehen, um die Ostfassade und den Norden des Platzes zu begutachten, noch ein rascher Blick auf das 1893 erbaute Rathaus der Stadt, das von der Dimension und vom Stil her die architektonische Geschlossenheit des Platzes sprengt und das der Dichter Rudolf Hans Bartsch einmal als „bürgerliches Protzenbackwerk“ bezeichnet hat. Ganz unrecht hat er mit dieser Bezeichnung nicht, woran auch die Tatsache nichts ändert, dass 1957 ein guter Teil der Statuen aus ihren Nischen verschwunden sind, weil es die Gemeindeväter der Stadt so wollten.

Jetzt haben wir unsere Position gewechselt, stehen zu Füßen Erzherzog Johanns und schauen auf die Ostfassade des Platzes mit dem mächtigen Steigeregg ganz zur Linken, in dessen erstem Stock bis zum Ende des 20. Jahrhunderts das Café Nordstern seine Gäste anlockte. Dass ausgerechnet dieses Café mit seinem traumhaften Blick über den ganzen Hauptplatz nicht mehr existiert, würde den Erzherzog empören. Neben dem Steigeregg prunkt das Luegg mit seinem phantasievollen Barockschmuck und den gemütlichen Arkaden, unter denen es sich – wie vor undenklichen Zeiten übrigens um den ganzen Platz – so trefflich bummeln lässt. Das nächste Haus mit der Nr. 14 verlor seine schöne Barockfassade, als es 1915 abgetragen und neu erbaut wurde und bildet, auch wenn man beim Neubau mit Sorgfalt die Proportionen berücksichtigte, einen Fremdkörper in der Kette der Perlen der Barockbaukunst. Das Haus Nr. 15, von dessen erstem Stock wieder eine Barockmadonna grüßt, ist das Geburtshaus des „Vaters“ des Allgemeinen Bürgerlichen Gesetzbuches (ABGB), Franz von Zeiller. Das nächste Haus am Platz mit der Nr. 16 hat außer einer barocken Stuckfassade wieder eine Madonna im ersten Stock, einen schönen Säulenhof und war einst Stadthof des Stiftes St. Lambrecht. Den Reigen schließt das Haus Nr. 17 mit dem „Ratskeller“ im Hinterhaus, auf den ein goldener „Aushänger“ mit zwei Ratsherrn aufmerksam macht und über dessen Torbogen die Wappen der Grafen Stürgkh und Herberstein angebracht sind.

Damit haben wir den Hauptplatz in seiner heutigen Gestalt betrachtet, der vor der Errichtung des heutigen Rathauses doppelt so groß war und auf dem Hinrichtungen ebenso stattfanden wie Zurschaustellungen auf dem Pranger, in einem Narrenkotter oder auf einem hölzernen Esel. Wir merken, dass heutzutage kein Narrenkotter notwendig ist, um den ganz normalen Wahnsinn, den z. b. Alkohol und Drogen verursachen, deutlich zu machen.

Bevor wir uns bald hinaufbegeben zur Stadtkrone mit Burg, Dom, Mausoleum und der alten Jesuitenuniversität, ins Herz der Geschichte des wichtigsten Zeitabschnitts der Stadt, wollen wir einen kurzen Ausflug durch das Franziskanergässchen in jenen Bereich der Innenstadt unternehmen, der uns auf besondere Weise mit seinem südlichen Flair bezirzt. Hier würde es einen nicht wundern, wenn man am Ende der schmalen Gasse, die mit ihren ins Freie ragenden Fleisch-, Obst- und Gemüseläden gut in viele norditalienische Städte passen würde, auf dem hellen Platz, der sich dem Auge zu beiden Seiten öffnet, die Bezeichnung „Piazza San Franceso" vorfände. An der Ecke zum Platz schaut aus dem ersten Stock des Hauses mit dem verlockenden Café-Restaurant „Don Camillo", ein barocker, dornengekrönter Christus auf die Fußgänger und Radfahrer und auf die Menschen, die es sich hier in den von Leben pulsierenden Schanigärten der verschiedenen Lokale gut gehen lassen, ob nach links über den Platz zur Neuen-Welt-Gasse hin, die einst wegen der hier abgewickelten Geschäfte Käßgasse genannt wurde, oder nach rechts, wo der Platz hinausführt durchs einstige „Kälberne Viertel" zur Mur oder hinüber zum Kapaunplatz, der wie der Franziskanerplatz von farbenprächtigen barocken Häusern umstanden ist. Ist das Haus Nr. 2 mit seinen Stuckornamenten und einer barocken Madonna in einer von einer Laterne betonten Nische im zweiten Obergeschoß, das besondere Schmuckstück des Kapaunplatzes, so bleiben wir staunend vor jenem Haus stehen, das in Richtung Franziskanerplatz von einer schönen Madonna und, der „Neuen Welt" zu, von einem Elefanten als Hauszeichen geschmückt wird.

Der intime Innenhof des Franziskanerklosters mit herrlichem Blick auf den 1999 renovierten Kirchturm.

Stellen wir uns nämlich unter eben jenes Tier und gehen dann ein paar Schritte in Richtung Albrechtgasse, stehen wir am Anfang des Feuergässchens und damit der engsten Gasse der ganzen Stadt. Sie ist heute Bestandteil eines eleganten Lokals und endet bei dessen Toiletten. Wenn man genau hinschaut, wird man bemerken, dass das Gässchen weiterführt und das Haus des früheren Hotel Elefant vom Eckhaus zur Albrechtgasse hin trennt, um im Brandfall den Helfern Zutritt zu ermöglichen.

Ein Elefant als Hauszeichen in der „Neuen Welt".

Jetzt wollen wir uns für eine Weile dem Trubel entziehen und neben der schönen Antoniusstatue von Jakob Schoy durch den Klostereingang der Franziskaner in die kühle Stille des mittelalterlichen Kreuzganges und der hohen gotischen Kirche eintauchen. Es gibt kaum einen Ort in der Stadt, an dem einen der Hauch der Geschichte so spürbar berührt wie in diesem Kreuzgang mit beachtlichen Fresken aus der Zeit um 1539, bemerkenswerten Epitaphen aus verschiedenen Epochen und der von hier betretbaren Jakobikapelle. In diesem Kreuzgang, der ein Gärtlein mit einer Kreuzigungsgruppe umschließt, über die hinweg man einen besonderen Blick auf den unten viereckigen und oben achteckigen Turm der Kirche mit seinem grünen Zwiebelhelm hat, sollen auch Andreas Baumkircher und sein Freund Andreas Greissenecker begraben worden sein, nachdem sie 1471 in der nahen Murgasse vor Erreichen des rettenden Murtores gefasst und anschließend geköpft worden waren. Vom Kreuzgang kommend betreten wir durch eine Seitentür die hohe gotische Kirche mit ihren leuchtenden farbigen Fenstern in der Apsis, die vom Grazer Künstler Franz Felfer gestaltet wurden. Hinter dem schlichten Altar ragt eine schlanke Darstellung des Gekreuzigten von Alexander Silveri in den Chorraum der Kirche. Als barockes Gegenstück mutet einen das mächtige Grabdenkmal von Ignaz Maria Attems an, welches im hinteren Teil der Kirche neben dem Zugang zur barocken Antoniuskapelle angebracht ist.

Durch das gotische Hauptportal verlassen wir die Franziskanerkirche und sehr schnell ist die Ruhe, die wir gefunden hatten wieder dahin. Ein paar Schritte und wir stehen bei der Hauptbrücke, über die wir auf jenen Rest des „Eisernen Hauses" blicken, der integrierender Bestandteil des neuen Kunsthauses von Graz, im Volksmund schon im Vorhinein „Blaue Blase" genannt, und ein Stück weiter flussaufwärts auf die beiden wuchtigen Barocktürme der Mariahilferkirche, hinter der in den Klosterräumlichkeiten das Kulturzentrum der Minoriten seine Heimat hat, in dem in den letzten Jahrzehnten viel für die Annäherung der Kirche an die Kunst der Gegenwart geleistet worden ist. Sportbegeisterte können hier einen Blick über das Brückengeländer hinunter auf die Mur werfen, die an dieser Stelle in einen reißenden, gischtenden Wildwasserkanal verwandelt wurde, der für die Weltmeisterschaften der „Free Stile Kanuten" geeignet ist. Bei dieser Gelegenheit stellen wir auch fest, wie sauber die Mur – vor etwa 15 Jahren noch als der schmutzigste Fluss Europas geschimpft – wieder geworden ist und mit ihrem Wasser der Güteklasse Zwei wieder Heimat einer großen Anzahl von Fischarten und anderem Getier.

Kunstvolles Haustor in der engen Murgasse.

Bevor wir uns nun in die Murgasse begeben, auf die Stelle zu, an der Baumkirchner und Greissenecker, vom Kaiser um ihr freies Geleit betrogen, ihr Leben lassen mussten, holen wir uns noch schnell auf der anderen Straßenseite am Ende der Brücke eine jener nach einem Geheimrezept hergestellten Salzbrezen, die ein Mann im weißen Schurz aus einem großen Tragkorb heraus anbietet. Wir werden die Stärkung durch diese Köstlichkeit vertragen.

Haben wir eine kurze Wegstrecke in der Murgasse zurückgelegt und dort, wo sie enger wird jenen Ort erreicht, an dem etwa das Innere Murtor stand, zweigen wir links ab durch die Paradeisgasse in Richtung Paradeishof. Heute ist da mit Kastner und Öhler das größte Kaufhaus der Stadt. Früher war hier zuerst ab 1451 ein von den Eggenbergern errichtetes Spital, dann ab 1568 die protestantische Stiftsschule, an der bis zur Auflösung der Schule 1598 im Zuge der Gegenreformation, Johannes Kepler lehrte und schließlich ein von der Mutter Kaiser Ferdinands II., Maria von Bayern, gegründetes Klarissinenkloster, in dem sie 1608 starb und bestattet wurde, ehe ihr Sarkophag 1782 ins Mausoleum überbracht wurde. Viel später, nämlich gegen Ende des 19. Jahrhunderts lebte in diesen Gemäuern Wilhelm Kienzl, der hier in den Jahren 1893/94 den Evangelimann komponierte.

Wir queren den Paradeishof, nicht ohne die noch immer bestehenden Arkaden zu bewundern, in Richtung Passage, die in die Sackstraße hinausführt. Bevor wir sie betreten, ist ein Blick in den Admonter Hof absolute Pflicht. Über seinem Zugang ist ein Admonter Abtwappen mit der Jahreszahl 1558 angebracht, das Wappen eines Abtes, der sicher nie daran gedacht hätte, dass über 350 Jahre nach ihm das Stadtpalais seines Stiftes eine der größten Baustellen der Stadt sein würde, weil in einem überaus aufwändigen Bauverfahren unter dem Gebäude eine mehrgeschoßige Tiefgarage gebaut wird. Während wir darüber nachdenken, warum ausgerechnet 2003 in einem solchen Nahverhältnis zueinander zwei so gewaltige Bauvorhaben wie das Kunsthaus und eben diese Tiefgarage zeitgleich für Behinderungen aller Art sorgen, treten wir in die Sackstraße hinaus und stehen fast unmittelbar dem Stadtpalais der Herberstein gegenüber, in dem die Neue Galerie des Landes Steiermark untergebracht ist, die Heimat der Gegenwartskunst des Landes und der ganzen Welt, ein Haus der Kunst, in dem unter kompetenter Führung nachgewiesen wird, wie gut die junge Kunst in alten Mauern zu präsentieren ist, wenn die Qualität stimmt.

Erwin Wurm in der Neuen Galerie mit seiner Arbeit „Jakob, Jakob fat".

Den Blick auf das Studio der Neuen Galerie gerichtet, überqueren wir die Straße und gehen in Richtung Norden, wo wir als nächstes auf das Palais Khuenburg stoßen, in dem 1863 der in Sarajevo ermordete Thronfolger Franz Ferdinand geboren wurde und in dem heute die Schätze des Grazer Stadtmuseums zu sehen sind. Noch ein paar Schritte weiter, nicht ganz bis zum Schlossbergplatz, bei der Einfahrt in den Hof des Stadtmuseums muss ich Sie bitten, einen Moment innezuhalten, weil ich Ihnen etwas zeigen will. Wenn man nämlich von hier auf die gegenüberliegende Seite der Sackstraße schaut und seinen Blick zum Balkon des Palais Attems im ersten Stock erhebt, wird man den Uhrturm in jenem verzerrten Spiegelbild erblicken, das auf dem Buchumschlag zu sehen ist und dem Grazer Wahrzeichen einen barocken Rahmen und einen ganz besonderen Zauber verleiht. Wir können uns ruhig Zeit nehmen, genauer hinzuschauen und dieses sonderbare Bild auf uns wirken zu lassen, bevor wir weiter auf den Schlossbergplatz gehen, von dem aus wir die ganze Wucht des Palais Attems (bis auf weiteres Sitz der Büros des „steirischen herbst" und des Festivals „Styriarte" und seit Juni 2002 vom Land zum Verkauf angeboten) erspüren. Wenn wir nach rechts schauen, erblicken wir am oberen Endes des so genannten Friedenssteiges, der bis vor kurzem Kriegssteig und einige Zeit lang Russensteig genannt worden war, den Uhrturm in natura. Rechts vom Friedenssteig blicken wir in den Berg, zum im Jahr 2000 fertiggestellten neuen Lift auf den Schlossberg, zum „Dom im Berg" und zum Stollen quer durch den Berg bis hinüber in das Steilstück der Weldenstraße oberhalb des Karmeliterplatzes, doch sollten wir auch noch einen intensiven Blick auf den Reinerhof am Schlossbergplatz, das älteste erhaltene Haus der Stadt, werfen. Und dann noch ein Stück weiter in die Sackstraße hinein, zumindest bis zum Haus mit der Nr. 22, zur Alten Münze, über deren Portal ein mächtiger Doppeladler und über ihm eine schöne

Das Palais Attems als barocker Spiegel des Grazer Uhrturms.

Barockmadonna zu sehen sind. Da befinden wir uns schon mitten im Eldorado für Antiquitätensammler, das sich bis ans Ende der Sackstraße erstreckt, die etwas unerwartet mit dem modernen Glasbau endet, der die Basteien des Schlossbergs widerspiegelt und nach seinem Architekten von vielen Grazern „Domenig Spitz" genannt wird. An den „Blick in den ersten Stock" haben wir uns auf unserem bisherigen Weg schon so gewöhnt, dass uns die Heiligendarstellungen und Aushänger in diesem Stück der Sackstraße von selber auffallen.

Noch ein Stück weiter und die Talstation der Schlossbergbahn ist erreicht, mit der wir uns bei unserer morgigen „Eroberung" des Schlossbergs näher befassen werden. Jetzt wollen wir nur in der Kassenhalle einen Blick auf die aufwändige Gedenktafel werfen, auf der von Kaiser Franz Josef über viele bedeutende Persönlichkeiten auch der Bauleiter dieser Bahn, Johann Korbuly genannt ist, ohne freilich zu erwähnen, dass er der spätere Erfinder und Produzent des Holzspielzeugs Matador ist, das unzählige Kinderherzen in aller Welt hat höher schlagen lassen.

Auf der Straßenseite des Palais Attems, dem bei seiner Errichtung durch Joachim Carleone im Auftrag von Ignaz Maria Attems im Jahr 1702 nicht weniger als sechs Bürgerhäuser weichen mussten, gilt rechts neben dem Palais ein Augenblick der Aufmerksamkeit der Fassade der Dreifaltigkeitskirche und links davon dem kleinen „Witwenpalais" der Attems, über dessen Tor ein wunderschönes Madonnenmedaillon aus der Barockzeit prangt. Dann geht es mit schnellem Schritt zurück in Richtung Hauptplatz vorbei am Kastner und Öhler und dem schmucken Hotel Erzherzog Johann, wobei unsere Blicke auf der anderen Straßenseite von den „Auslegern" des traditionsreichen Krebsen-

Die Morgensonne spielt mit der Farbenpracht der Fassade im Hof des Palais Attems.

„Aushänger" der Bäckerei Wolfbauer.

kellers und der Bäckerei Wolfbauer angezogen werden. Und schon sind wir beim Steigeregg, das wir schon kennen, und biegen nach links bergwärts in die Sporgasse ein, jene Gasse, die ein Konzentrat von sehr vielem ist, was Graz als Ganzes zu bieten hat.

Die Sporgasse hat ihren Namen von den Sporenschmieden, die einst hier ihre Werkstätten hatten und sie ist jene Gasse der Grazer Innenstadt, in der man den meisten Stilrichtungen an den verschiedenen profanen und sakralen Bauwerken begegnet. Das beginnt unweit vom Hauptplatz, wo wir kaum die barocke Pracht des Luegg hinter uns gelassen, auf der anderen Straßenseite mit dem Haus Nr. 3 eines der bemerkenswertesten Jugendstilhäuser erblicken, dessen reicher Schmuck sich goldglänzend nach oben windet. Ein paar Schritte weiter an der Ecke zur Färbergasse, die ins von Leben überschäumende Bermudadreieck mit seinen von Lokalen verschiedenster Art belebten Plätzen und Gässchen führt, befindet sich in einem klassizistischen Haus die Apotheke „Zum goldenen Hirschen", die 1564 als Hofapotheke Erzherzog Karls II. von Innerösterreich begründet wurde. Das darauf folgende Haus Sporgasse Nr. 12 ist der einzige gotische Profanbau der Stadt mit skulptierten Pfostenfenstern aus der Zeit um 1500. Fast gegenüber befindet sich mit der Nr. 13 eines der interessantesten Häuser der Sporgasse mit einer prachtvollen Barockfassade, einer schwungvollen Johannes Nepomuk-Statue über dem Eingangstor und kunstvoll gearbeite-

Goldglänzendes Detail des Jugendstilhauses Sporgasse Nr. 3.

Hl. Johannes Nepomuk als „Vertreter" der vielen Heiligen im 1. Stock.

Barocker Dachspeier und „Laterne" der Stiegenkirche.

ten Dachspeiern mit Drachenköpfen zwischen denen, wenn man eine günstige Position einnimmt, der rote Zwiebelturm der Stiegenkirche mit einer goldenen Statue des hl. Paulus als „Wetterfahne" durchblickt. Früher gingen hier die Gäste des Brau- und Gasthauses „Zum römischen König" aus und ein, bis hinein in den Renaissancehof mit einem Wohntrakt aus dieser Zeit, in dessen Räume die Felsen des Schlossbergs hineinragen. Heute sind es die Patienten eines Zahnarztes, die im vorderen Teil des Hauses behandelt werden. Im Haus Nr. 14, in dem die berühmte Konditorei Strehly Gäste aus aller Welt anlockt, wurde 1785 Kajetan Sweet, der Schreiber und Leidensgefährte Andreas Hofers geboren, als Sohn eines berühmten Grazer Pestarztes.

Im Hinterhof des daneben liegenden Barockhauses mit der Nr. 16 verschlägt es uns in die Bereiche der modernen Kunst, weil hier die Künstlergruppe „Die Werkstadt Graz" ihr Domizil hat. In diesem Haus kann man auch einen Blick in die Werkstadt des Peter Skala werfen, in dessen Stahlwarenspezialgeschäft die Schlittschuhe unzähliger Grazer geschliffen wurden und die mit ihrer ursprünglichen Einrichtung nostalgische Gefühle wachruft.

Peter Skala ehrt das Handwerk in seiner alten Tradition.

Jetzt sind wir schon beim Haus des Deutschen Ritterordens angelangt, an dessen Wand ein großer ornamentaler Wappenstein eingemauert ist, über dessen Portal das Ordenskreuz prangt und dessen zum Teil noch gotischer Arkadenhof zum Schönsten gehört, was es in Graz an Höfen zu sehen gibt. Leider ist der Gesamteindruck dieser intimen Oase der Stille durch eine Emaildarstellung, des von der katholischen Kirche verbannten Erzbischofs Levebre beeinträchtigt, die aus dem letzten Viertel des 20. Jahrhunderts stammt. Ein Erkerchen aus der Spätrenaissance, das an der Ecke zur Hofgasse vorspringt, beglückt hingegen durch die Eleganz und Reinheit seiner Form.

Der Innenhof des Hauses des Deutschen Ritterordens.

Dieser Erker weist auch hinüber auf den Eingang zur Stiegenkirche, die über unzählige Stufen, die vor einer mächtigen Kreuzigungsgruppe enden, „erobert“ werden muss. Im Jahr 1343 gegründet, hieß sie einst „St. Paul im Walde“ und später „Kirche der Augustiner auf der Stiege“. Nach einer wechselvollen Geschichte wurde sie 1827 Universitätskirche und war mit unfreiwilligen Unterbrechungen seither bis zum Jahr 1957 im Einflussbereich der Jesuiten, die damals Graz für immer verließen. An die Zeit dieses wichtigen Ordens erinnern nur mehr einige Portraitdarstellungen an der Decke. Ansonsten dominiert im spartanisch eingerichteten Kirchenraum ein großes, farbenprächtiges, abstraktes Bild von Gottfried Mayrwöger, und im rechten hinteren Teil erinnert, eine vom Künstler – Werner Augustiner – übrigens nicht autorisierte Nachwebung seines großen Altarbildes mit Szenen aus dem Leben des hl. Paulus, das die ganze Apsis ausfüllte und das mit unbekanntem Aufenthalt verschwunden ist. Der Aufenthalt des Gemäldes „Mariä Verkündigung“ von Hans Adam Weißenkircher, das lange in der rechten Seitenkapelle im Dunkeln „schmachtete“ ist hingegen bekannt. Es hängt an prominenter Stelle in der Kirche St. Johann am Graben im Geidorfviertel, wo wir es noch aufsuchen werden.

In die Sporgasse zurückgekehrt geht es weiter bergan, vorbei am alteingesessenen Gasthaus „Zur goldenen Pastete“, das 1575 von einem Fassbinder errichtet wurde und seit 1728 als Wirtshaus „Bey der guldenen Bachstättn“ mit seiner Farbenpracht der oberen Sporgasse einen starken Akzent verleiht und seine Gäste in gemütlichen Gasträumen, vor allem in der großen Eckstube mit dem einzigen Runderker der Stadt, ergötzt. Jetzt öffnet sich die Gasse fast platzartig und zur Linken zieht das mächtige Palais Saurau unsere Blicke an, mit einem reich gestalteten barocken Oberlichtgitter, einem Gesims mit Wappensteinen darüber und ganz oben unter dem Dach der Gestalt eines Türken mit Säbel in der Hand, der hier als der wohl erste unfreiwillige Gastarbeiter der Stadt aus der Zeit der Türkenbelagerungen auf den Menschenstrom unter sich schaut. Bis 1846 fiel sein Blick auch auf das innere Paulustor, das hier – 1355 erstmals erwähnt – seine schützende Funktion erfüllte. Der Türke soll übrigens hier steckengeblieben sein, als eine Kanonenkugel vom Schlossberg in seine Bratenschüssel flog, das überreiche Mahl störte und er durch die Dachluke sein Heil in der Flucht suchen wollte, woran ihn sein übervoller Bauch gehindert haben soll. In Wirklichkeit handelt es sich bei dem Türken um ein altes Hauszeichen, dessen Original man im Grazer Stadtmuseum aus der Nähe anschauen kann.

Wie eine bunte Schlucht: die Sporgasse neben der „Golenen Pastete“.

Die letzten Meter den Berg hinauf zum Karmeliterplatz und man meint beim Blick nach links zum Schlossberg hin, in der Stiegengasse ein Stück der Prager Altstadt vor sich zu haben, während man zur Rechten nach dem In-Lokal „Stern“ jene prächtige Dreifaltigkeitssäule sieht, die früher am Eingang der Sackstraße am Hauptplatz stand, bis sie dem Verkehr weichen musste. Da wir zumindest 2003 auf eine genaue Besichtigung des Karmeliterplatzes verzichten müssen, weil er eine Baustelle ist, wollen wir wenigstens seine wichtigsten Sehenswürdigen anmerken. Das sind die ehemalige päpstliche Nuntiatur an der Ecke zur Paulustorgasse mit schönem Renaissanceerker, gegenüber das Haus Paulustorgasse 1, in dem sich die erste Freimaurerloge von Graz befand, und auf dem Platz selber mit dem hohen Giebel die seinerzeitige Karmeliterkirche mit Kloster, die heute das steirische Landesarchiv „Das Haus der Geschichte" beherbergt und bis 1918 Garnisonsspital und dann bis 1974 Landesgendarmeriekommando war. Gegenüber steht in einem kleinen Park, schräg vor dem Palais Galler mit der Hausnummer 6, in dem heute die Steirische Volkspartei ihre Zentrale hat, eine Büste von Bundeskanzler Alfons Gorbach, und den östlichen Abschluss des Platzes bildet ein modernes Mahnmal für die Toten der beiden Weltkriege von Alexander Silveri. Hinter diesem Mahnmal befindet sich der Pfauengarten der Burg, unter dem jetzt eine Tiefgarage gebaut wird und ursprünglich als Ort für die Errichtung des Kunsthauses geplant – damals noch TRIGON-Museum genannt –, das fix und fertig geplant und finanzierbar war. Aber Graz ist anders. Nach präzise drei Neuplanungen mit Architektenwettbewerben und nach zwei Volksbefragungen wird es nunmehr an der Mur errichtet. Die unendliche Geschichte des Kunsthauses, unter dem Titel „Zwischen Pfauengarten und Eisernem Haus" zu erzählen, wäre reizvoll aber platzraubend.

Wir wollen uns lieber ein Stück die Sporgasse zurück bewegen, in die Ballhausgasse einbiegen und durch sie hinuntereilen auf den Freiheitsplatz, der in seiner baulichen Geschlossenheit wie ein Salon mit dem Himmel als Dach wirkt. Benno Reiffenberg, der seinerzeitige Herausgeber der Frankfurter Allgemeinen Zeitung, hat die Stimmung auf dem abendlichen Platz trefflich eingefangen, als er in der Pause einer Aufführung im Schauspielhaus aufschrieb: „Es wandelt sich angenehm in diesem offenen Saal. Seine

Musik, Boutiquen, Galerien: farbiges Treiben in der Sporgasse.

Kaiser Franz I., der Bruder Erzherzog Johanns vor dem Lambrechterhof.

Wände im Viereck haben sich seit Schuberts Zeit kaum verändert: die Pilaster, die den flachen Giebel (wohl des Lambrechterhofes, d. A.) anmutig tragen, die maßvolle Dekoration, diese überschaubare Weiträumigkeit. Wo der Abend leuchtet, ziehen mit tieferen Schwärzen die Dachfirste einen Goldrand aus dem Himmel." Und am Tag sieht man sie deutlich, die aufeinander abgestimmten Baukörper des Schauspielhauses mit seinem Balkon auf den Platz hinaus, das 1776 erbaut, 1825 nach einem Brand im Jahre 1823 wiedererrichtet und 1964 baufällig geworden, als eines der schönsten Logentheater des deutschen Sprachraumes erneuert wurde und des Lambrechterhofes an der Nordseite des Platzes, den Georg Hauberrisser d. Ä. erbaute und mit dem Relief im Giebel allen die Geschichte vom Kampf seines Sohnens mit einem Architekten namens Wolf erzählte, bei dem es um den Auftrag des Baus des Münchner Rathauses ging, der zugunsten von Hauberrisser d. J. ausgegangen ist.

Der „Taubenkobel" in der Hofgasse.

Weiters sieht man die Ausläufer der alten Jesuitenuniversität, über deren zukünftige Verwendung nach dem Auszug des Landesarchivs noch keine volle Klarheit besteht. Im Zentrum des Platzes steht das große Standbild Kaiser Franz I., des Bruders Erzherzog Johanns, dem Graz unter anderem die Wiedererhebung der Universität vom Lyzeum verdankt, zu dem es von Kaiser Josef II. degradiert worden war.

Wenn unsere Augen genug in diesem wohltuenden Ambiente gebadet haben, wenden wir uns am Schauspielhaus vorbei der Stadtkrone zu, nicht ohne vorher kurz in die Hofgasse geblickt und unsere Aufmerksamkeit, dem mit Sicherheit meistfotografierten Bäckereiportal der Welt, nämlich dem schwungvollen, herrlich geschnitzten und intarsierten Portal der Hofbäckerei Edegger-Tax gewidmet zu haben, aber auch jenem eigenartig hochragenden schmalen Bau, den man „Taubenkobel" nennt, und in dem früher Studiosi der Jesuitenuniversität wohnten. Beim Blick auf dieses Haus „landen" wir unversehens in den Franzosenkriegen zu Beginn des 19. Jahrhunderts. Man schrieb nämlich den 25. Juni 1809, als zwei Theologiestudenten namens Knabel und Anzl, die hier wohnten, vom Dach des Hauses aus die Kämpfe im Osten von Graz um St. Leonhard beobachteten. In genauer Kenntnis des Gebietes, das umkämpft wurde, gelang es den beiden, zuerst ins Hauptquartier der österreichischen Truppen vorzustoßen und von dort mit zwei Bataillonen, die man ihrer Führung anvertraute, die feindlichen Stellungen zu umgehen. Sie gelangten in die Nähe der Leonhardkirche, von wo man das Geschrei der dort von den Franzosen eingesperrten 300 Österreicher hörte. Es gelang, sie durch Sprengung der Kirchtüre zu befreien.

Jetzt aber endgültig hinüber zur Stadtkrone, die mit dem schimmernden Grün der Kuppeln des Mausoleums Ferdinands II., dem Dachreiter des außen so bescheiden wirkenden Doms, im Kontrast zu den freundlich roten Dächern der alten Jesuitenuniversität und der Burg, mit ihrem Schwung, der sie aus dem ins Grün des im Stadtparks ausklingenden Stakkato der Altstadtdächer heraushebt und so wie der materialisierte Kopfsatz jener Symphonie wirkt, welche die Grazer Innenstadt ausmacht. Beim Blick auf die Stadtkrone werden vor unserem geisti-

Renaissancesymphonie in Form und Farbe: Hof der alten Universität.

Der goldene „Wetteradler" krönt die Südkuppel des Mausoleums.

gen Auge sicher nicht Kaiser, Erzherzöge, elegante Damen, Hofschranzen und jesuitische Gelehrte auftauchen, dazu ist unsere Zeit mit ihrem Getöse, der Parkplatznot und der Eile, von der die Menschen erfasst sind, zu prosaisch. Wir wollen uns aber einen genießerischen Blick in den prachtvollen Arkadenhof der hier 1573 gegenüber des Doms erbauten Universität gönnen, diese Arkadensymphonie in orange und weiß, neben dem Presseclub der steirischen Medien in die Bürgergasse hinaus verlassen und die mächtige Stiege gegenüber hinaufgehen, die zum Mausoleum führt, jenem Stück Rom in Graz, das Ferdinand II. von Pietro de Pomis erbauen und von Pietro Vallnegro vollenden ließ. Wie ein Schmuckstück liegt der Bau mit seiner mitreißend schwungvollen Fassade, seinen Kuppeln, über deren südlichster ein großer goldener Wetteradler thront, der schönes Wetter verkündet, wenn er auf die Stadt schaut und umgekehrt, im umgebenden Dächerkranz. Für die Vollendung der Innenausstattung des Mausoleums, in dessen Gruftraum im Untergeschoß der Marmorsarkophag mit den Liegefiguren Karls II. und seiner Gattin Maria Anna von Bayern steht und in dessen „Herzgrüftln" in der Wand die Herzen Kaiser Ferdinands II. und der Erzherzogin Maria von Bayern bestattet sind, sorgte Johann Bernhard Fischer von Erlach.

Am oberen Ende der Treppe angelangt, sehen wir mit Freude zur Rechten den Seiteneingang des Domherrenhofs, über dessen Haupttor in der Bürgergasse ein hervorragendes Relief Erzherzog Karls II. zu bewundern ist, und mit weniger Freude zur Linken an der Südwand des Domes das „Landplagenbild" mit der ältesten Darstellung von Graz. Man muss nämlich registrieren, wie schrecklich die Umwelteinflüsse diesem Bild zugesetzt haben. Ein Glück nur, dass es eine Nachmalung gibt, die im Inneren des Mausoleums betrachtet werden kann. Wenn wir nun durch den Seiteneingang neben dem Landplagenbild den Dom betreten, erstaunt uns ein barockes Fest unter einem gotischen Himmel in einem Maße, das schwer zu beschreiben ist. Von besonderer Pracht ist der Hochaltar aus dreifarbigem Marmor von Johann Jakob Schoy geschaffen, die aus Elfenbein geschnitzten Brauttruhen der Paola Gonzaga neben den Stiegen zum Hochaltar, die Kanzel, ein hochbarockes Prunkstück, die beiden riesigen Christophorusdarstellungen über den beiden Seiteneingängen, wobei jene mit dem Herzogshut an der Südwand die Züge Kaiser Friedrichs III. tragen soll, der den Dom erbauen ließ. Von hohem künstlerischen Wert ist neben den vielen Seitenaltären der Epitaph des Hofkanzlers Johann Caspar Cobenzl von Raphael Donner, der am dritten Pfeiler von hinten an der linken Seite des Doms angebracht ist.

Mit besonderer Freude dürfen wir seit Herbst 2002 im Dom das nach langen Restaurierungsjahren aus Wien zurückgekehrte Bild „Kreuzigung im Gedräng", geschaffen von Konrad Laib im Jahr 1457, begrüßen, das seinen Platz in der Friedrichskapelle

Die grandiose „Kreuzigung im Gedräng" von Konrad Laib.

gefunden hat, zwei Geschoße oberhalb der Barbarakapelle, die man an der Nordseite von außen betreten kann, in jener Friedrichskapelle, in der früher – vor der Übersiedlung in das Minoritenkloster – das Diözesanmuseum untergebracht war. Die „Kreuzigung im Gedräng" gehört zu den größten Meisterwerken der Gotik, die weltweit zu finden sind.

Detail der schlichten Außenfassade des Grazer Doms.

Nach dem religiösen Hochgenuss wenden wir uns irdischeren Schönheiten zu und bewundern die Burg, die Kaiser Friedrich III. von 1438 an errichten ließ. Noch immer beeindruckt von Konrad Laibs Meisterschaft, sehen wir zur Rechten das gotische Burgtor, eines der zwei noch erhaltenen Stadttore von Graz, das hinaus durch die Erzherzog-Johann-Allee in den Stadtpark und von dort weiter in das Leonhardviertel führt, und schauen hinüber zum Eingangstor in den Burghof, der einstens zur Straße abgeschlossen und mit dem Dom durch einen Gang ins kaiserliche Oratorium über dem Hochaltarraum verbunden war. Erheben wir den Blick bis in den zweiten Stock, sehen wir die erst vor kurzem freigelegten Reste des Trompeterganges, der bis etwa dorthin reichte, wo jetzt die sogenannte „Neue Burg" aus der Zeit nach dem Zweiten Weltkrieg steht. Betreten wir den Burghof, müssen wir zuerst am Zugang zur Treppe vorbei, die hinaufführt in die Prunkräume des unter Erzherzog Karl errichteten Teils der Burg, in der noch heute Festakte und Ehrungen stattfinden und über denen sich jene Räumlichkeiten befinden, in denen der Landeshauptmann – seit 1996 die erste Landeshauptfrau – ihre Amtsräume haben.

Blick auf den Karlstrakt der Burg vom Garten her.

Spannendes Detail der berühmten gotischen Doppelwendeltreppe.

Queren wir den ersten Burghof und gelangen zum dunklen Durchgang in den zweiten, dürfen wir auf keinen Fall rechts an der Wand den Schriftzug „AEIOU“, das geheimnisvolle „Logo“ Friedrichs III. und den kleinen Zugang zur Linken übersehen, der zur berühmten gotischen Doppelwendeltreppe führt, die im Jahre 1500 Kaiser Maximilian I. erbauen ließ und die eine der vier weltweit erhaltenen Doppelwendeltreppen ist. Auf ihr kam es im Jahr 1608 zu einem dramatischen Zwischenfall. Bei einer Auseinandersetzung zwischen Komödianten aus Frankreich und England, die hier gastierten, kam es wahrscheinlich wegen einer schönen Frau zu einer Messerstecherei zwischen zwei französischen und zwei englischen Schauspielern, bei der ein Franzose Namens Louis getötet wurde.

Im zweiten Burghof schenken wir der im „Steirischen Gedenkjahr“ an Erzherzog Johann (1959) eingerichteten Ehrengalerie des Landes ein wenig Aufmerksamkeit. In von Gegenwartskünstlern geschaffenen Büsten sind bedeutende Steirerinnen und Steirer wie Anna Plochl, Paula Grogger, Alexander Girardi, Johann Joseph Fux, Bernhard Fischer von Erlach, Ulrich von Liechtenstein, Peter Rosegger und andere verewigt, wobei es zur Grundphilosophie dieser Galerie gehört, sie ständig zu erweitern und immer wieder durch Büsten wichtiger Landsleute zu ergänzen, eine Grund-

Ein Teil der stimmungsvollen Ehrengalerie des Landes im zweiten Burghof.

philosophie, an die man ruhig wieder einmal denken könnte. Verlässt man den zweiten Burghof wieder durch einen Torbogen, um in den dritten zu gelangen, steht man vor dem bis zum Schauspielhaus reichenden, nach dessen Erbauer Ferdinand II. benannten Trakt, während zur Rechten der Weg hinein in den Burggarten mit einer sehr schönen Orangerie führt. Sie ist allerdings zur Zeit in einem eher tristen Zustand. Zum Glück ist man dabei, einen neuen, der Zeit entsprechenden Verwendungszweck zu suchen.

Prachtrelief Karls II. über dem Eingang zum Domherrenhof.

Jetzt wollen wir die Burg wieder verlassen und begeben uns, schon etwas müde, durch das Burgtor hinaus in den Stadtpark zum Café Promenade, das sich in dem, in den Jahren 1835/36 als Wachhaus für die Burgwache errichteten, einem dorischen Tempel nachempfundenen Bauwerk befindet und in dessen Garten wir bei köstlicher Labung nach rechts hinüberschauen können zum um die Mitte des 20. Jahrhunderts errichteten Künstlerhaus oder links den Schwänen im Schanzgraben zuschauen, der sich zu Füßen des Burggartens in den Stadtpark hineinzieht und an dessen Anfang jener Steirische Panther aus Stein steht, der bis zum Ende des 19. Jahrhunderts das alte Grazer Rathaus krönte.

Das gotische Burgtor und links der Eingang zur Burg.

Nach einer ausgiebigen Rast nehmen wir den zweiten Teil unseres Tagesprogramms in Angriff. Wir gehen zunächst zurück durch das Burgtor und biegen gleich danach links, unter einer schönen Ecce Homo Statue am Eckhaus in die Burggasse, die steil hinunter in Richtung Oper führt. Wir genießen noch einmal den Anblick des Mausoleums und jenes schmalen romantischen Gässchen, das zwischen Dom und Mausoleum zur Treppe in die Bürgergasse führt, vorbei am Eingang zur Sakristei des Doms, die man über ein paar Stiegen und einen kleinen stimmungsvollen Vorraum mit einem Madonnenbild erreicht. Vor diesem Durchgang steht in einem Rosarium eine Statue des hl. Ägidius, des Stadtheiligen von Graz, dem der Dom geweiht ist. Sie ist eine Schöpfung des Grazer Bildhauers Erwin Huber aus den letzten Jahren des 20. Jahrhunderts. Dann gehen wir die Burggasse weiter hinunter, vorbei am Dompfarrhof, den über dem Eingang eine barocke Madonna schmückt, dem Palais Trauttmansdorff zur Rechten, dem Gebäude der ehemaligen Handelskammer, in dessen Eingangsbereich eine Gedenktafel an jene Kammerangestellten erinnert, die hier bei einem Bombenangriff im Jahre 1945 ums Leben kamen, am Haus Burggasse Nr. 16, in dem Peter Rosegger eine Zeit lang wohnte und gleich danach an jener Stelle, an der bis 1860 das Franzenstor in die Vorstadt führte.

Hier wollen wir innehalten und, bevor wir die Oper genauer in Augenschein nehmen, zur Linken – von Grün umgeben – die überlebensgroße Darstellung des sitzenden Peter Rosegger bewundern, eine der besten Arbeiten, die Wilhelm Gösser aus weißem Stein schlug. Man vermeint, den Dichter staunend auf den Verkehrstrubel auf dem Ring neben sich und auf das weit gestreckte Rosarium vor sich schauen zu sehen, unter dem sich eine Tiefgarage befindet, die von einem langgezogenen, wohlproportionierten Bau Georg Hauberrisser d. Ä. beglei-

Gelassen blickt Peter Rosegger aus seiner grünen Loge auf den rasenden Verkehr.

tet wird. Dieses Bauwerk hat seinen Eingang in der Hamerlinggasse und beherbergt die Landwirtschaftskammer, die Interessensvertretung der steirischen Bauern.

Detail der Ostfassade der Grazer Oper zum Stadtpark hin.

Von der Rosariumsgarage gibt es einen direkten, wettersicheren Zugang zur Oper, der wir uns nun zuwenden. Der Vorgängerbau war aus Holz und wurde Pietro Mignotti zugeschrieben. Er befand sich an der Ecke Tummelplatz–Burggasse und wurde nach einem Brand abgerissen. Der wuchtige, von einer Kuppel gekrönte Bau des jetzigen Opernhauses ist 1899 in der Rekordbauzeit von neun Monaten von den Wiener Theaterarchtitekten Ferdinand Fellner und Hermann Helmer erbaut und zuerst Stadttheater genannt worden. Die Farben Weiß, Rot und Gold dominieren die üppige Rokokoeinrichtung im Inneren des Hauses, und die 1985 neu geschaffene Bühne, die im Rahmen einer Generalsanierung installiert wurde, ist noch immer sprichwörtliches Sprungbrett auf die Bühnen der Welt. Vierzig Jahre davor musste schon einmal kräftig saniert werden, als 1944 eine Bombe die Hauptfront des Hauses traf und einen Teil der Kuppel sowie die von einem Giebel gekrönte Säulenvorhalle über dem Balkon zerstörte, die allerdings nicht mehr errichtet wurde. Neben der Oper befindet sich das 1864 eröffnete Thalia-Theater, dessen Außenfassade wir seit 1993 hinter der mächtigen Stahlskulptur „Lichtschwert“ von Hartmut Skerbisch, bestaunen können. Wenn wir den gut gegliederten und reich verzierten Bau der Oper umwandern, kommen wir rechts unter einer Glasbrücke durch, die seit 1985 das Haupthaus mit dem Verwaltungsgebäude, dem Kulissendepot und der Montagehalle in der Girardigasse verbindet, und gelangen an die Rückseite der Oper, die dem Kaiser-Josef-Platz zugewendet ist, dem größten Bauernmarkt der Stadt, von dem noch die Rede sein wird.

Hier finden wir zu beiden Seiten des Bühneneingangs Marmortafeln, auf deren einer Schillers Zitat „Des Menschen Würde ist in eure Hand gegeben, sie sinkt mit euch, mit euch wird sie sich heben“ und auf der anderen aus Richard Wagners Meistersingern das Wort „Ehrt eure deutschen Meister, dann bannt ihr gute Geister“ in goldenen Lettern festgeschrieben ist. Den Giebel dieser Seite schmückt ein Relief von Hans Brandstetter, das Apoll mit Vertretern der verschiedensten Sparten der darstellenden Künste zeigt. Bevor wir weiterwandern, den Ring hinunter in Richtung „Eisernes Tor“ noch eine heitere Anmerkung zu diesem eher ernsten Haus, das im Dienste der Pflege Richard Wagners ebenso gestanden ist, wie es immer wieder neue Werke der Opernliteratur auf die Bretter, die die Welt bedeuten, brachte und bringt. Bei der Eröffnung des Hauses im Jahr 1899 erfreute einer der beiden Architekten das Publikum mit einer der kürzesten Eröffnungsreden, die jemals gehalten wurden. Er sagte nur: „Neues Haus, halt's aus“ und erntete rauschenden Applaus.

Vor dem alten Thalia-Theater: das „Lichtschwert“ von Hartmut Skerbisch.

Bevor wir weitergehen, mag noch der eine oder die andere die Dienste des jüngst neben der Oper im Stadtpark aufgestellten Jugendstil-WC aus Gusseisen in Anspruch nehmen, das ich als wanderndes WC bezeichnen möchte. Es hat schließlich den Weg

Das „wandernde“ Jugendstil-WC neben der Oper.

von seinem ursprünglichen Platz beim „Deutschen Bund“, nahe der Keplerbrücke, über Eisenerz, wo es bei einer Landesausstellung als Informationsstand diente, hierher gefunden und erleichtert so manchem, der mit einem der vielen Busse neben der Oper ankommt, das Leben. Uns führt der Weg das Rosarium entlang, vorbei an der nackten „Nymphe mit Delphin“ von Walter Pochlatko und dem zu jeder Tageszeit gut besuchten Operncafé und auf der gegenüberliegenden Straßenseite, in einem „Ausläufer“ des Stadtparks, an einer fast zu zierlichen Bronzebüste Kaiser Josef II., auf den Platz „Am Eisernen Tor“. Wir stellen uns neben den gischtenden Springbrunnen, der 1875 entstand und zunächst zu Ehren von Anastasius Grün (Anton Alexander Graf von Auersperg) Auerspergbrunnen genannt wurde. Der Name übertrug sich bald auf den ganzen Platz, der 1899 in Bismarkplatz umbenannt wurde und erst in unseren Tagen den Namen „Am Eisernen Tor“ erhielt. Von unserem Standplatz richten wir unsere Blicke nach Norden in die bekannteste Einkaufsstraße der Stadt, die Herrengasse. Dabei erregt zuerst die Mariensäule unsere Aufmerksamkeit, die hoch über unseren Köpfen an den Sieg Montecuccolis über die Türken bei Mogersdorf im Jahr 1664 erinnert. Die Madonna stand bis 1928 auf dem Jakominiplatz zwischen dem Dorotheum und den Marktständen und nur wenig bekannt ist, dass sie ihr Bestehen, dem berühmtesten Maler der Stadt, Wilhelm Thöny, verdankt, der sich vehement ihrer Übertragung auf den Platz vor der Mariahilferkirche widersetzte. Genau an dem Platz, der für sie vorgesehen war, schlug dann 1945 eine Bombe ein, die ihr Ende bedeutet hätte. Zerstört wurde die Statue allerdings 1988, als sie im „steirischen herbst“ von einem Künstler durch eine Nachbildung der „Siegessäule“ aus der Hitlerzeit verhüllt wurde. Dies wurde als Provokation angesehen und die Siegessäule wie auch die Statue Opfer eines Brandanschlages.

Die goldglänzende „Montecuccoli-Madonna“ am „Eisernen Tor“.

Die Statue zerschmolz und was wir heute sehen, ist eine Nachbildung aus dem Jahr 1989.

Drei Zeichen für drei Epochen: Herz Jesu Kirche (li.), Stadtpfarrkirche und „Lichtschwert".

Rechts von der Mariensäule, an der Ecke zur Hans-Sachs-Gasse, steht das Palais Welsersheimb, das wohl schönste Gebäude Am Eisernen Tor, in dem zu Beginn des 19. Jahrhunderts eine Zeit lang Napoleons Bruder, Louis Bonaparte, wohnte und das heute Sitz der Bank Austria ist. Am anderen Eck zur Hans-Sachs-Gasse verleiht die Buchhandlung Moser, auf welche die Statue einer „Lesenden" von Erwin Huber in besonderer Weise als Zentrum der Bücherfreunde aufmerksam macht, dem Haus einen besonderen Charakter. Bald folgt die Stadtpfarrkirche zum Heiligen Blut, die mit ihrer schwungvollen Barockfassade und dem weithin leuchtenden Dachreiter von Joseph Stengg, den stärksten Akzent in die südliche Herrengasse setzt.

Hitler und Mussolini im Fenster rechts oben in einem der „Glasgemälde" der Stadtpfarrkirche.

In der 1875 völlig regotisierten Kirche drängt es uns zu allererst in das rechte Seitenschiff, die ehemalige „Neue Capellen in der Judengasse" zum herrlichen Bild „Mariä Himmelfahrt" von Jakopo Tintoretto und dann zu den Kirchenfenstern, die wegen der schweren Bombenschäden 1953 von Albert Birkle neu gestaltet wurden. Auch wenn wir nicht gern zugeben, dass wir auf Gags, vor allem im sakralen Bereich aus sind, machen wir uns auf die Suche nach den Portraits von Hitler und Mussolini, die Birkle als böse Gaffer bei der Kreuzigung im linken Seitenfenster im – vierten rechten Feld von unten – verewigt hat. Unsere Aufmerksamkeit verdienen sodann die Gitter aus Profileisenschienen und die geätzten Glasarbeiten, mit denen Fritz Hartlauer, mit den für ihn typischen Urzellenmotiven, den ältesten Teil der Kirche vom Hauptschiff getrennt hat. Bevor wir die Kirche durch den gotischen Seitenausgang in die Mesnergasse verlassen, ist ein Blick auf das prachtvolle Grabdenkmal von Th. K. B. Attems einfach Pflicht.

Wieder dem Trubel der Herrengasse ausgesetzt, werfen wir einen Blick auf jenes Reliefbild von Franz Schubert, das im zweiten Stock des Thonethofes, des Gebäudes Herrengasse Nr. 28, Ecke Fischer-von-Erlach-Gasse, zu sehen ist, und darauf hinweist, dass hier der große Komponist bei der Grazer Anwaltsfamilie Pachler ein und aus ging, wenn er in Graz weilte. Hier konzipierte er seine Grazer Walzer und verfasste nach seinem letzten Besuch in Graz im Jahr 1827, ein Jahr vor seinem Tod, für Faust Pachler, den Sohn der Familie, wie er es versprochen hatte, ein „vierhändiges Klavierstück“. Interessant sind auch die von einem hl. Florian bewachten historistischen Häuser Herrengasse 18–20, die der Grazer Wechselseitigen Versicherung gehören und in deren ersten Stock eine Steinfigur Erzherzog Johanns – des Gründers dieser Versicherungsanstalt – von Hans Brandstetter zu sehen ist. Dann folgt das Landeszeughaus mit seiner farbenfrohen Gestaltung im unteren Teil der Fassade und über dem Eingangstor, das mit einer Ausrüstung für 40.000 Mann, die größte geschlossene mittelalterliche Waffensammlung der Welt beherbergt, von der besondere Exponate bereits um die Welt gereist sind. Dem Zeughaus vis-à-vis steht das Haus Herrengasse Nr. 13, das zwar architektonisch nicht besonders bedeutend ist, dafür aber über einen schönen Hof mit Arkaden verfügt und über den Ruf, dass in seinem zweiten

Schubert-Relief hoch über der Herrengasse (Haus Nr. 28).

Stock im Jahre 1797 Napoleon persönlich übernachtet haben soll. Anschließend befindet sich das palaisartige Haus mit der Bärenapotheke, das – im ersten Stock von einer Madonna unter einem Kupferdach geschmückt – die Ecke zur Stempfergasse bildet, die bis vor wenigen Jahren, als es in Graz noch vier Tageszeitungen gab, den Namen „Fleet street von Graz" trug, weil hier nicht weniger als drei Zeitungsredaktionen und eine Großdruckerei ihren Sitz hatten.

Von dieser Ecke aus schaut man über die Straße auf die prächtige Renaissancefassade des Landhauses. Neben dem Eingang, der einen in einen Arkadenhof aus der Renaissancezeit bringt, wie es keinen schöneren im Alpenraum und nördlich davon gibt, ist die so genannte Rumortafel angebracht, auf der festgeschrieben ist, in welchem Umkreis während der Sitzungen der Landstände nicht gelärmt werden darf. Die wichtigsten Teile dieses „Schönsten Hauses des Landes", heute Sitz des Landtages und einiger Regierungsbüros, erbaute in den Jahren 1557 bis 1564 der große Domenico dell'Allio, der in Graz noch andere bemerkenswerte Spuren hinterließ.

Blick auf die prächtigen Arkadengänge des Landhaushofes.

Im Hof ziehen die zweigeschoßigen Arkaden, eine prachtvolle Brunnenlaube aus dem Jahr 1590, der 1586 geschaffene Dachreiter mit einer interessanten Uhr und Pantherbekrönung sowie das Dach der 1630 errichteten Landhauskapelle die Blicke auf sich. In diese Kapelle gelangt man durch die mit viel Gefühl und Vorsicht unserer Zeit angepasste Landstube und kann u. a. ein qualitätvolles Altarbild „Mariä Himmelfahrt" des Grazer Malers Hans Heinz aus dem Jahr 1631 bewundern. Edler Stuck, barocke Prunköfen, ein Wandgemälde mit dem 18-jährigen Kaiser Franz Josef im Krönungsornat zieren den Ort, in dem die Gesetze für die Steirer beschlossen werden.

In den Hof zurückgekehrt, dürfen wir die Gelegenheit nicht auslassen, einen kurzen Sprung durch den „hinteren" Landhaushof in die Schmiedgasse hinauszutreten, weil wir hier die Gelegenheit haben, eine der farbigsten und lebendigsten Gassen der Innenstadt zu erleben, mit einem Renaissancepalais, Barockhäusern, dem klassizistischen Amtshaus und zahlreichen Darstellungen von Madonnen, schönen Wappen, einer „Krönung Mariens" und anderen Motiven in Form von Reliefs, Plastiken und Ölgemälden, wenn wir unsere Blicke auf den ersten Stock der Bauwerke richten. An der Fassade des Landhauses, die auf diese Seite hinausgeht und schlichter wirkt als jene an der Vorderseite, sehen wir außerdem eine der schönsten Darstellungen des „Steirischen Panthers" als kunstvoll gerahmtes Relief. Wenn wir schon hier sind, sollten wir auch die paar Schritte in die Raubergasse machen, um dort im Haus Nr. 10 dem Joanneum, der wohl wichtigsten Stiftung Erzherzog Johanns zu begegnen, die er 1811 durch die Schenkung all seiner Sammlun-

Zwei der herrlichen Madonnendarstellungen in der Schmiedgasse.

gen ins Leben rief. Für den Besuch dieses größten künstlerischen Schatzes des Landes, zu dem wir hier Zugang durch ein Rundbogensteinportal haben, über dem sieben Bronzewappen steirischer Adelsfamilien leuchten, müssen wir uns aber mehr Zeit nehmen, als uns heute zur Verfügung steht. Wir beschränken uns auf einen kurzen Blick in die Joanneumskapelle, die sich rechts im Durchgang in den Arkadenhof befindet, nehmen den

Die Kuppel des Haupteinganges des Joanneums in der Neutorgasse.

Arkadenhof selber in Augenschein und gehen dann durch die Höfe hinüber zum kuppelgekrönten Haupteingang des Joanneums in der Neutorgasse und nehmen uns ganz fest vor, den Schätzen seiner verschiedenen Abteilungen, von der Alten Galerie, über die Mineralogie, das Kunstgewerbe bis zur Neuen Galerie eingehende Besuche abzustatten.

Doch nun zurück ins Landhaus, das wir wieder in Richtung Herrengasse verlassen. Machen wir das, müssen wir zunächst etwas sehr Irdisches tun und aufpassen, dass wir nicht von einer Tramway erwischt werden, um dann einen Blick genießen zu dürfen, wie man ihn weit wird suchen müssen. Schaut man nämlich die Gesamtfassade der Herrengasse vom Palais Breuner (Nr. 9) mit seinem edlen Arkadenhof, in dessen zweiten Stock bis 1987 die Süd-Ost-Tagespost ihre Redaktion hatte, bis hinauf zum Luegg am Hauptplatz, wird man ein Bild der Vielfalt und zugleich Geschlossenheit von Formen und Farben vorfinden, die Bewunderung hervorrufen muss. Wie ein kunstvoll gewobener Teppich, den irgend jemand plastisch gemacht hat, mutet einen diese Häuserzeile an, die einen geradezu fröhlichen Charakter annimmt, wenn sie im Sonnenschein liegt. Einen besonderen Farbakzent in diesem Gesamtkunstwerk bildet das „Gemalte Haus“ (Nr. 3), das einst Herzogshof war und dessen Gesamtfassade vom Maler Johann Mayer 1742 mit Reitergestalten, Trophäen, allegorischen Figuren farbenprächtig gestaltet und zuletzt 2001 restauriert wurde. Mit dem Eindruck dieser Farbenpracht im Gemüt, kehren wir zurück ins Herz der Stadt zu unserem Ausgangspunkt, dem Hauptplatz und begeben uns zum Ausklang des Tages hinauf in die Sporgasse in die „Goldene Pastete“, um bei einem köstlichen, bodenständigen Mahl, noch einmal Revue passieren zu lassen, was uns bei unserem ersten Tagesausflug in der steirischen Landeshauptstadt begegnet ist. Wir wollen aber nicht zu lange sitzen, weil wir Kräfte sammeln wollen für den zweiten Tag, der anstrengend werden kann, gilt es doch, dem Schlossberg seine Geheimnisse zu entlocken.

Aber wer weiß schon, was der köstliche steirische Wein mit uns vorhat. Und so lehnen wir uns zurück und denken nochmals an all die Besonderheiten, die der heutige Tag für uns bereitgehalten hat.

Die Gustostückerl des ersten Tages:

- Barocke Eigentumswohnungen
- Fünf Madonnen am Hauptplatz
- Das Feuergässchen
- Kepler und Kienzl im „Paradeis"
- Der Uhrturm im Barockspiegel
- Ein unfreiwilliger Gastarbeiter
- Der Konrad Laib ist wieder da
- Mord auf der Doppelwendeltreppe
- Vom Burgwächterhaus zum Café Promenade
- Das wandernde Jugendstil-WC
- Hitler und Mussolini in der Stadtpfarrkirche
- Wehrzeichen Zeughaus
- Joanneum – größter Schatz des Landes
- Farbsymphonie in der Herrengasse
- „Goldene Pastete" – Gastlichkeit seit 1728

Der Schlossberg – Wächter der Stadt

Die Besteigung des Schlossbergs wollen wir auf einem etwas ungewöhnlichen Weg beginnen und wählen daher als Treffpunkt den Platz vor dem Paulustor, dem zweiten noch erhaltenen Tor aus der alten Stadtbefestigung, an das sich auch noch ein Stück der Stadtmauer anschließt. Von unserem Treffpunkt aus, der an der Stadtparkseite liegt, haben wir einen guten Blick auf die Toranlage und vor allem auch auf die beiden Wappen über den Durchlässen für die Fußgänger. Es sind jene von Erzherzog Ferdinand und seiner Gattin Maria Anna von Bayern. Unter den Wappen auf dem 1623 vollendeten Tor steht in lateinischer Sprache: „Von Ferdinand und Maria Anna, Erzherzogen von Österreich ist dieses Bollwerk zum Wohle des Vaterlandes, zur Abwehr der Feinde und zur immerwährenden Erinnerung an deren Namen von Grund auf errichtet worden." Gehen wir die Paulustorgasse weiter stadtauswärts, stoßen wir dort, wo die Jahngasse nach links abfällt auf eine Kapelle mit einer barocken Johannes-Nepomuk-Darstellung und ein paar Schritte weiter auf einen Obelisken mit einem Portrait des Turnvaters Jahn, welches zu dessen 50. Todestag am „15. Weinmond (Oktober) 1902" errichtet worden ist. Dann geht's bergab auf die „Landesturnhalle" zu, deren Fassade vom Künstler Wolfgang Temmel neu gestaltet worden ist. Bedauerlich nur, dass die in diese Gestaltung integrierte digitale Uhr, welche unendlich laufen sollte, aus welchen Gründen auch immer, nicht funktioniert. Gehen wir nun von der Jahngasse in die Parkstraße, die bald auf die Wickenburggasse „aufläuft", stoßen wir zur Linken auf das reich mit Stuck verzierte Haus mit der Salvatorapotheke, in dem nach verschiedentlicher Meinung Sacher Masoch in seiner Grazer Zeit gewohnt und seine „Venus im Pelz" geschrieben haben soll. Si non e vero...

Bewegte Gründerzeitfassade in der Wormgasse.

Streng blickt Feldmarschallleutnant von Welden auf „sein" Graz.

Jetzt biegen wir in die Wickenburggasse ein und gehen bald am Haus Nr. 5 vorbei, in dem laut Gedenktafel Peter Rosegger seine ersten Grazer Jahre verbracht hat. Im Haus gegenüber mit der Nr. 4 lebte und wirkte bis zu seinem Tod 1973 der Historiker Hans Pirchegger. Bald ist es dann so weit, dass wir auf der Weldenstraße den Anstieg auf den Schlossberg beginnen können. Schauen wir ein kurzes Stück nach der ersten Kehre den Berghang hinunter, erblicken wir jenen Pavillon, den Konrad Kreutzer bei einigen Darstellungen des Nordens von Graz als Vordergrund benutzt hat. Dann verlassen wir die Weldenstraße und gehen auf einem schmalen Weg in Serpentinen weiter bergan, um bald auf jenen kleinen Platz zu kommen, auf dem die Bronzestatue von Feldmarschallleutnant Franz Ludwig von Welden, der in den Jahren 1839 bis 1842 dafür sorgte, dass der nach der Schleifung der Basteien vollkommen devastierte Berg, der zu einem Schutthaufen verkommen war, wieder hergestellt, begrünt und zu einer großartigen Park- und Gartenlandschaft umgewandelt werden konnte. Das Denkmal von Weldens, der als Divisionskommandant nach Graz gekommen, hier die Gelegenheit bekam, seine gartengestalterischen Ambitionen auszuleben, kehrt seinen Rücken jenem Platz zu, auf dem 1845 das Schweizerhaus fertiggestellt wurde, dem ein genau hundertjähriges Bestehen beschieden sein sollte.

Als das Haus 1843 halbfertig war, ging auf einmal das Geld aus und erst als ein Grazer Zahlkellner mit Namen Matthias Rath eine jährliche Pacht von 150 Gulden anbot, wenn er einen Kaffeeschank führe dürfe, brachte das die Fertigstellung in Schwung. In der Folge wurde das Schweizerhaus zu einem Treffpunkt der feinen Gesellschaft, die von hier aus den Blick über den Osten von Graz genoss, bis es im Jahr 1945 von Plünderern niedergebrannt und nie mehr wiederaufgebaut wurde. An seinem Platz wird gerade jetzt die Schlossberggärtnerei neu errichtet, die sich bisher neben der Bergstation des neuen Lifts befunden hatte. Dort wurde sie abgerissen, um nach den Plänen der Architekten Michael Rieper und Siegfried Frank ein „Café Universum" als neue Attraktion für den Schlossberg errichten zu können, von dem aus man zu allen Jahreszeiten einen Panoramablick über die Stadt hat.

Wir machen kehrt und gehen auf unserem Serpentinenweg durch den Mischwald weiter hinauf, bis wir das Plateau des Berges erreichen. Im Zentrum dieses Plateaus befindet sich jene Zisterne, mit einer wunderschönen schmiedeeisernen Brunnenhaube, die dem großen Baumeister Domenico dell'Allio bzw. seinen Nachkommen zum Schicksal wurde. Weil er, der für Graz und die Festung auf dem Schlossberg so viel geleistet hatte, es nicht zustande brachte, auf dem Plateau eine zusätzliche Wasserversorgung für die Schlossbergmannschaft zu sichern, obwohl im Jahr 1544 bis zu 16 Meter tief in den Felsen gesprengt wurde, beschlagnahmte die Regierung, nachdem dell'Allio 1563 gestorben war, das Vermögen seiner Nachfahren. Der um 1570 damit finanzierte Umbau der Zisterne brachte allerdings auch nicht den gewünschten Erfolg. Wo anders, als an dieser Stelle ist es angebracht, sich daran zu erinnern, dass nicht nur dell'Allio mit dem Festungsbau beschäftigt war. Ab 1570 war nämlich Sallustio Peruzzi mit der Leitung betraut, der Sohn jenes Baldassare Peruzzi, der von 1520 bis 1527 den Bau des Petersdomes in Rom geleitet hatte. Der Sohn des Miterbauers des Petersdoms war also Miterrichter der Festung auf dem Schlossberg und damit wie dell'Allio darum verdient, dass der Berg allen feindlichen Angriffen bis zu den Sturmläufen der Franzosen im Jahr 1809 standhalten konnte und nie erobert wurde. Den Fall der Festungen führte erst eine Bestimmung des Schönbrunner Friedens herbei, welche deren Schleifung anordnete.

Von der Zisterne bewegen wir uns nun halbrechts auf den Rand des Plateaus zu, wo zuvorderst der Hackher Löwe unsere Aufmerksamkeit beansprucht. Dieses mächtige Denkmal erinnert an die Tapferkeit Major Hackhers und seiner Mannen bei der Verteidigung des Berges im Jahr 1809 und wurde genau hundert Jahre später vom Wiener Bildhauer Otto Jarl aus Anlass dieses Jubiläums geschaffen. Der Löwe wurde 1941 eingeschmolzen und erst 1966 von Wilhelm Gösser nachempfunden wieder aufgestellt, nachdem vorher in einer Volksbefragung mit unglaublicher Beteiligung eine modernere Lösung durch einen Gegenwartskünstler von den Grazern abgelehnt worden war. Gleich neben dem Löwen ist seit dem Jahre 2001 das „Gotische Burgtor beim hinteren Zwinger“ freigelegt und man kann es auf einer breit angelegten Treppe begehen, die auf einen Weg hinunter führt, über den man an der Fernberger Bastei vorbei, auf der das Schlossbergrestaurant steht, in die Gegend des Starcke Häuschens kommt, dem wir noch in mehrfacher Hinsicht „nähertreten“ werden. Auf der westlichen Mauer, die das Plateau einfasst, finden wir neben einem schlichten Wetterhäuschen, Marmortafeln, auf denen angegeben ist, wie weit es in welche der verzeichneten Städte von diesem Punkt aus ist. Lässt es sich in der Phantasie von hier aus trefflich in die Ferne reisen, wollen wir doch lieber da bleiben und langsam den Weg vom Plateau hinunter zum Glockenturm der Liesl bzw. zum gegenüberliegenden Schlossbergrestaurant und der Bergstation der Schlossbergbahn nehmen.

Dabei müssen wir erst die Kasematten queren, in die wir tief hinunterschauen und die einstmals zu den Gefängnissen auf dem Berg zählend, heute für Theater und Konzertaufführungen genutzt werden. Seit der Anbringung eines Schiebedaches, dessen Konstruktion in den Händen der Architekten Jörg und Ingrid Mayer gelegen war, sind die Kasematten bei jeder Witterung bespielbar. Im Zusammenhang mit der Neuerbauung des Schlossbergrestaurants, die fix geplant ist, besteht die Hoffnung, dass zwischen diesen beiden Bauwerken ein innigerer und besserer Zusammenhang hergestellt wird.

Gerettet von der Wirtschaft: der Glockenturm der „Liesl“ entging nur knapp seiner Schleifung.

Solche Hoffnungen im Herzen sind wir vor dem Glockenturm angekommen, gehen zuerst über eine kleine Brücke zu den freigelegten Teilen der Thomaskapelle und lesen dann auf einer Tafel an der Turmmauer, dass wir seine Existenz den Grazer Handels- und Gewerbetreibenden zu verdanken haben, die seine Schleifung durch die

Bezahlung einer großen Geldsumme verhindern konnten. Und dann betreten wir den Glockenturm, um neben der „Liesl" den höchsten Punkt des Schlossbergs zu erreichen. Den Weg zur „Pummerin von Graz" die täglich drei Mal, nämlich um 7 Uhr, um 12 Uhr und um 19 Uhr mit 101 Schlägen in dumpfem As einen Klangmantel über die Stadt breitet, finden wir über eine schmale Stiege, die über dem Kellergewölbe beginnt, in dem sich die wegen ihrer Form „Bassgeige" genannten Gefängnisse für die Totgeweihten befanden. Dann geht es vorbei an kunstvollen sakralen Gegenständen aus der St. Thomas Kapelle und an dem über zwei Meter hohen Sprechtrichter, mit dem der Turmwächter einst seine Warnungen auf die Stadt hinunterrief. Nun steht man direkt unter der Liesl, die einen Durchmesser von 197 Zentimetern hat und 4188 Kilo wiegt, entnimmt sehr prosaischen Blechtafeln, dass hier Rauchverbot herrscht und der Glockenhelm 1893 und zuletzt 1993 erneuert wurde und findet dann am Mantel der Glocke Darstellungen von Erzherzog Karl II. und seiner Gattin Maria, die die Glocke vom Meister Hilger neben dem Paulustor im Jahre 1587 gießen ließen. Auch der Spruch „Eine Glocke heiß ich, nur Hohes preis ich, verkünde fröhliche Feste, beklage sterbliche Reste. Naht Krieg und Wettersturm, scheuch ich sie fürt vom Turm. Ruf euch zur Kirche helle, bleib selbst an dieser Stelle" ist hier verewigt. Geht man unter der Glocke zum Nordfenster des Turmes, bemerkt man, dass man höher steht als das Plateau, von dem man gekommen ist und freien Blick hat weit über den Berg und die Stadt hinaus bis hinauf zur Gleinalm.

Beglückt und durchlüftet treten wir den Weg über die Stiegen hinunter an, verlassen den Turm und begeben uns hinüber in die Bergstation der Schlossbergbahn, um zu beobachten, wie ein roter Wagen der Standseilbahn in der Tiefe in Richtung Mur verschwindet und wie dann der Gegenwagen von unten auftaucht und hier heroben seine Menschenfracht entlässt. Das Entstehen dieser Bahn war, wie es in Graz bei neuen Dingen offensichtlich nicht erst heute so ist, reichlich kompliziert. Jahrelange Streitereien gingen der „Bewilligung einer Drahtseilbahn zur Beförderung von Personen aus der inneren Stadt von Graz auf das untere Plateau des Schlossberges" im Jahr 1893 an einen Ingenieur Ludwig P. Schmidt und zwei Mitunternehmer voraus. Zahlreiche Auflagen machten das Unternehmen auch nicht gerade leichter. Die Anbringung von Dampfmaschinen und anderen Lärm und

Rauch erzeugenden Vorrichtungen wurden nämlich verboten und es wurde vorgeschrieben, dass der Bahnbetrieb nach dem Wasserballastsystem einzurichten sei. Die Kunst war es, nur mit einer Pumpe das notwendige Wasser auf den Berg zu bringen, um das nötige Gewicht für den oberen Wagen zu erreichen. Als schließlich doch der Antrieb durch Dampfkraft erlaubt wurde, musste der notwendige Dampf in der Talstation erzeugt und in Rohren zur oberen Station geleitet werden. Die Erbauung der Seilbahn fand dann in der Zeit von August 1893 bis Oktober 1894 statt und nach Probefahrten wurde völlig überraschend am 25. November 1894 der Betrieb aufgenommen.

Obwohl die Öffentlichkeit davon gar nicht in Kenntnis gesetzt war, fand sich vor der Bergstation eine große Menschenmenge ein, um die erste Fahrt der Standseilbahn zu feiern. Eine weitere Aufregung gab es 1897, als jemand die glänzende Idee hatte, eine neue Bahn zu errichten, bei der auf dem Westabhang nur noch ein Gleis vorhanden sein sollte und dafür eines auf der Ostseite des Berges zur alten Bastion beim Paulustor. Die Wagen sollten sich gegenseitig auf- und abziehen und das dazu notwendige Verbindungsseil unter den Kasematten verlegt werden. Das Projekt kam allerdings schnell zu Fall, als im Jahr 1900 die Bahn auf elektrischen Betrieb umgestellt wurde.

Nach diesem technischen Exkurs begeben wir uns am Gastgarten des Schlossbergrestaurants entlang weiter bergab. An das Ende dieses Gartens, in dem es sich unter Kastanienbäumen gut sitzen lässt, schließt eine Wiese an, in der wir eine mit seltsamen Zeichen versehene runde Metallscheibe erblicken. Erstaunten Auges stellen wir fest, dass wir es mit dem ersten und einzigen „Weltraumkunstwerk" zu tun haben. Es handelt sich um Richard Kriesches „Skulptur ASCII-Himmel", die an den ersten Weltraumflug eines Österreichers erinnert, nämlich an den Franz Viehböcks an Bord einer sowjetischen Raumkapsel im Jahr 1991. Basis der Arbeit ist eine Videokonferenz zwischen der Raumstation, einer Flugleitzentrale in Russland und dem ORF-Landesstudio Steiermark am 6. Oktober 1991. Nach einem Blick auf die 1903 in der Wiese gegenüber gepflanzte Keplerlinde gehen wir schnurstracks neben einem Mosaik, das die acht Partnerstädte von Graz symbolisiert, durch das Gittertor auf die Aussichtsplattform über der Stall- oder Kanonenbastei und müssen uns entscheiden, ob wir dem interessanten Garnisonsmuseum einen Besuch abstatten oder nur den großartigen Ausblick über die

Mittelalterliche Melodien für die Besucher der mächtigen Kanonenbastei.

Stadt genießen, der weit über ihre Grenzen hinaus, ein wenig nur vom Wildonerberg zum Innehalten eingeladen, hinunterschweift in den Süden bis zum Bacherngebirge in Slowenien. Auf jeden Fall sollten wir ins Kanonenhaus hineinschauen, in dem seit 1782 jene vier Kanonen stehen, die Brände in der Stadt zu melden hatten und wegen ihrer „Stimmgewalt" den Namen „Vier Evangelisten" erhielten. Unsere weitere Aufmerksamkeit gilt dem „Untersteirer-Mahnmal" von Erwin Huber an der Wand zum Kanonenhaus und an der Süd-Ost-Ecke der Basteiplattform dem einzigen noch erhaltenen Wächterhäuschen der alten Schlossbergbefestigung. Im Sommer versüßt hier ein mittelalterlich gekleideter Flötist mit seinen Melodien den Schlossbergwanderern das Leben.

Wenn wir die Plattform wieder verlassen, können wir uns in einem reich sortierten Andenkenladen mit Graz-Souveniers versorgen. Bald nach dem Geschäft biegen wir scharf nach rechts auf einen schmalen Weg ab, der uns zu neuen Sehenswürdigkeiten führt. Nach etwa 100 Metern dürfen wir, bevor wir uns einem der skurrilsten Plätze auf dem Schlossberg zuwenden, den niedrigen Steinsitz in einer Mauer nicht übersehen, der uns an ein tragisches Ereignis erinnert. Bis hierher reichte nämlich die Kraft von Bischof Graf Nadasdy, der nach vierzigjähriger Gefangenschaft im Glockenturm 1796 entlassen wurde. Dann ließ er sich auf dem kalten Stein nieder und starb. Fast genau gegenüber betreten wir nun die im Sommer wohltuenden Schatten spendende Pergola und finden an ihrem Ende zur Rechten breite Stufen vor einem gotischen Tor mit einem ägyptisierenden Säulenvorbau. Das Tor führt in die finsteren Gewölbe der Bastei, auf deren „Dach" wir gerade gewesen waren, einst finsteres Gefängnis, in dem auch eine „Eiserne Jungfrau" zur besonders grausamen Hinrichtung aufgestellt war, und in deren stimmungsvoll düsteren

Gewölben, in unseren Tagen Theateraufführungen und immer häufiger auch private Feste stattfinden. Neben diesem Eingang ist die Urne des Dichters und Ehrenbürgers von Graz Rudolf Hans Bartsch eingemauert, der hier für immer Ruhe über „seinem“ Graz gefunden hat.

Wie ein Besucher aus fremden Landen: der chinesische Pavillon.

Verlassen wir diesen Ort wieder und machen uns auf den Weg rechts hinunter, weiter in Richtung Uhrturm, schauen wir zuerst noch geradeaus auf einen aus Holz geschnitzten „Chinesischen Pavillon“, von dem aus man einen besonders schönen Blick auf den zum Greifen nahen Uhrturm und über ihn hinweg hinunter auf die Stadt hat. Und da schärfen wir unsere Augen besonders, weil wir dann im Süden einen Bau sehen können, der zum spannendsten gehört, was in Graz in den letzten Jahren gebaut wurde. Es ist die von Klaus Kada geplante Stadthalle auf dem Gelände der Grazer Messe International. Da sind Zweckmäßigkeit und Ästhetik vereint, wie man es ganz selten bei solchen Bauten findet. Das werden in weiterer Zukunft die Messebesucher schätzen, und all jene, denen an guter Architektur etwas gelegen ist.

Ein besonderes Beispiel guter Architektur: Klaus Kadas neue Stadthalle.

Aber nun weiter auf einen kleinen Platz, in dessen Zentrum der achteckige Türkenbrunnen steht, der von 1554 bis 1558 von deutschen Bergleuten 94 Meter tief hinunter bis zum Grundwasserspiegel der Stadt gebaut wurde. Seinen Namen hat der Brunnen von der Tatsache, dass den Deutschen türkische Gefangene Hilfsarbeiterdienste leisteten. Wohl in den Bereich der Sagen ist es zu verweisen, dass beim Bau auch ein Elefant zum Einsatz gekommen sein soll. Vom Türkenbrunnen gehen wir jetzt weiter zu einem besonderen Ort, an dem wir unsere Mittagsrast halten werden. Eine Büste von Hans Klöpfer passierend, die in ihrer Dimension vor der gewaltigen Mauer der aufragenden Bastei ein wenig armselig wirkt, und an jenen Bänken entlang, die am sonnigsten Platz des Berges stehen, kommen wir zum Starcke Häuschen, das 1572 als Pulverturm erbaut, im Jahr 1818 vom Rechtsanwalt Bonaventura Hödl erworben und zu einem Winzerhäuschen mit jenem gotisierenden Krabbenturm umgebaut wurde, der sofort ins Auge sticht. Hödl, der am Westhang des Schlossbergs Weingärten anlegte, zählte zu seinen Freunden den Dresdner Hofschauspieler Gustav Starcke, der sehr oft seine Sommerferien an diesem ruhigen Ort verbrachte, sogar ein eigenes Zimmer besaß und nach dem das Häuschen schließlich benannt wurde. Wir können uns darüber freuen, dass es heute eine Stätte gepflegter Gastronomie ist und zögern nicht lange, die heutige

Einst Pulverturm und Weingartenhaus – jetzt Gastrotempel: das Starcke Häuschen.

Gemütlich und mit tollem Blick auf Graz: eine der Terassen des Starcke Häuschens.

Mittagsrast auf einer der Terrassen vor dem Haus zu verbringen und uns gastronomisch verwöhnen zu lassen. Von hier hat man einen besonders schönen Blick auf die Kirchen im Westen von Graz und bis hinaus zu den Hügeln, die Graz wie ein grüner Kranz umfangen. Zusätzlichen Reiz gewinnt der Blick auf die barocken Kirchtürme im Herzen der Stadt, wenn man ihn aus dem Inneren der gastlichen Stätte durch eines der Spitzbogenfenster unternimmt, die dem Gastraum ihr Licht schenken.

Blick vom Schlossberg auf die Mariahilferkirche.

Im Stakkato der Altstadtdächer: die Stiegenkirche.

Gestärkt gehen wir zurück zum Türkenbrunnen und von dort den breiten asphaltierten Weg weiter zum Uhrturm, der bald in unser Blickfeld kommt. Wer hier auf die Uhr schaut, muss sich bei den großen Zifferblättern an den vier Wänden des Wahrzeichens von Graz darauf einstellen, dass die kleinen Zeiger die Minuten und die großen die Stunden anzeigen. Der Uhrturm, das 28 Meter hohe Wahrzeichen von Graz, steht auf der Bürgerbastei, die so heißt, weil sie der einzige Besitz der Bürger auf dem Schlossberg war und wurde in seiner heutigen Gestalt im Jahr 1560 errichtet. Die Uhr mit den verwirrenden Zeigern stammt aus dem Jahr 1712 und wurde 1822 erneuert. Um den Turm führt ein hölzerner Gang mit drei Erkern. In einem kleinen Erker, der sich auf der Stadtseite des steilen Turmdaches befindet, hängt die älteste Glocke von Graz aus dem Jahr 1328, die allerdings erst 1820 an ihren jetzigen Platz gelangte und vorher in einem gedeckten Gerüst südlich des Glockenturms ihre Heimstatt hatte. Sie hieß zuerst Feuerglocke, weil sie bei Feuerausbruch geläutet wurde, dann Armensünderglocke, weil sie bei

Hinrichtungen ertönte und schließlich Lumpenglocke, weil sie für die ganze Stadt die Sperrstunde verkündete. Im Inneren des Turmes befindet sich das Räderwerk der Uhr, die vom Uhrmacher Frank hergestellt wurde. Bis zum Jahr 1805, als die Franzosen zum zweiten Mal Graz belagerten, befand sich hier auch ein eigenartiges Orgelwerk, das auf den Namen „Steirisches Horn" hörte und nur einen lauten Akkord ertönen lassen konnte, den man „Orgelschrei" nannte. Die Wappensteine am Fuß des Turmes, ein Doppeladler aus der Zeit Maria Theresias, ein einköpfiger Adler aus der Zeit um 1522 und ein Pantherschild mit Herzogshut aus der Zeit Erzherzog Karls von Innerösterreich um 1570, befanden sich früher auf den Festungsbauten des Schlossbergs. Dem Uhrturm schräg gegenüber steht die von Wilhelm Gösser geschaffene Figur eines antiken Kriegers, der an die Heldentaten des Infanterieregiments Nr. 27 erinnert.

Blickfang zu jeder Jahreszeit: der Uhrturm.

Geht man nun die Mauer entlang, die südlich vom Turm sacht bergab führt und über die man einen besonders schönen Blick auf die Stadtkrone und hinaus zur spitz aufragenden Herz-Jesu-Kirche im Osten hat, bemerkt man bei genauem Hinsehen, dass der goldene hl. Paulus auf dem Zwiebelturm der Stiegenkirche, das Glockenspiel, das Lichtschwert bei der Oper ihre Kuppel und dahinter die Kuppel der „Alten Technik" in einer Linie liegen. Beim Gehen kommt man links ganz unvermittelt an niedrigen modernen Aufbauten vorbei, bei denen man erst bei genauer Betrachtung entdeckt, dass sie hinunterführen in die Uhrturm-Kasematten, die als Veranstaltungsraum nutzbar gemacht wurden. Rechts gelangen wir an eine Stelle, wo unterhalb der Mauer das Denkmal eines kleinen steinernen Hundes zu sehen ist. Dieses Denkmal erinnert an den Hund, der 1497 Kunigunde, die Tochter Kaiser

Friedrichs III. vor ungarischen Entführern gerettet haben soll. Der Kaiser hatte seine Tochter auf die Festung nach Graz bringen lassen, weil er sie König Matthias Hunyadi, dem er sie als Gattin versprochen hatte, nicht mehr geben wollte und ihre Entführung fürchtete. In der Nacht, in der die Entführung in Graz tatsächlich versucht wurde, hörte der Schlosshauptmann Ulrich von Graben bei einem Festungsrundgang das wilde Gebell eines Hundes, entdeckte die potenziellen Entführer und konnte für ihre Vertreibung sorgen.

Der „Steinerne Hund": Retter einer Kaiserstochter.

Jetzt gilt es, eine Entscheidung zu treffen. Es gilt nämlich, zwischen drei Varianten zu wählen, um den Schlossberg in Richtung Stadt zu verlassen. Die bequemste ist eindeutig die mit dem neuen Lift ein Stück oberhalb des Uhrturms, mit dem man in 20 Sekunden, vorbei am Dom im Berg, jenem großen und architektonisch interessanten Veranstaltungsraum im Inneren des Berges, den es seit 1999 gibt, auf dem Schlossbergplatz ist. Die vor allem für die Kniegelenke anstrengendste aber optisch überaus reizvolle Variante ist jene über die unzähligen Stiegen des Kriegssteiges, der von 1916 bis 1918 von k. u. k. Pionieren in den Fels geschlagen worden ist. Die dritte Variante ist der Marsch über die breite, steile Straße in Richtung Karmeliterplatz, auf der man am Franzosenkreuz vorbeigeht, welches daran mahnt, dass an dieser Stelle im Jahr 1809 der Fähnrich Karl König, der mit zwei Offizieren als Unterhändler in der Stadt geweilt hatte, vom damaligen Irrenhaus aus, von den Franzosen hinterrücks erschossen worden ist. Seit 1852 ist das Kreuz mit einer schönen Christusfigur ausgestattet, für welche die Landstände sorgten. Ein anderer Name für diese Gedenkstätte ist auch „Armensünderkreuz", weil sich an dieser Stelle die Verwandten und Freunde von jenen verabschieden mussten, die in die Gefängnisse auf dem Schlossberg gebracht wurden.

Für welche Variante auch immer man sich entscheidet, abendlicher Treffpunkt ist in jedem Fall der Schlossbergplatz, von wo wir kurz zwischen Palais Attems und Dreifaltigkeitskirche hinaus zur Mur schlendern, um vom architektonisch interessanten Steig über den Fluss, von den Architekten Eisenköck und Domenig geplant, einen Blick auf die für das Kulturhauptstadtjahr 2003 errichtete und lange Zeit heiß umfehdete „Acconci-Insel" zu riskieren, die, einer geöffneten Muschel ähnlich, einen starken Akzent im Fluss setzt.

Eine neue Grazer Attraktion: die „Acconci-Insel" auf der Mur.

Den Tag beschließen wir heute in der Café Konditorei König in der Sackstraße gegenüber der Musikabteilung des Kaufhauses Kastner und Öhler. Wenn es das Wetter erlaubt, tun wir es im Arkadenhof, der seit 2001 prachtvoll restauriert ist, bei nicht so gutem Wetter im Inneren des Lokals, dessen durchkomponierte Holzausstattung im Stil des auslaufenden 19. Jahrhunderts zum gemütlichen Plausch über die Erlebnisse des Tages verleitet.

Einer der zahlreichen Grazer Arkadenhöfe: hier in der Sackstsraße mit Gastgarten der „Konditorei König".

Die Gustostückerl des zweiten Tages:

- Sacher Masoch in Graz
- Zahlkellner ermöglicht Schweizerhausbau
- Petersdom und Schlossberg
- Die „Liesl“ über der „Bassgeige“
- Umstrittene Schlossbergbahn
- Ein Elefant beim Brunnenbau?
- Starcke Häuschen: vom Feriendomizil zum Gastrotempel
- „Lumpenglocke“ und „Orgelschrei“
- Hund rettet Tochter des Kaisers
- Vom Reinerhof zur „Acconci-Insel“
- Gesamtkunstwerk Café König

Zwischen Mur und Escorial von Graz

Den dritten Tag unserer Erforschung von Graz, beginnen wir beim Café Don Camillo auf dem Franziskanerplatz. Bei einem stärkenden Espresso, den wir im Freien schlürfen, lassen wir die morgendliche Ruhe des barocken Umfeldes, mit der gotischen Apsis der Franziskanerkirche als Kontrapunkt, auf die Sinne einwirken. Dann beginnen wir unseren Weg hinaus, den schmalen Teil des Platzes entlang, vorbei an Würstelstandln, einer Bäckerei, in der man den ganzen Tag über Dutzende Brotsorten und Mehlspeisen vom Vortag zum halben Preis erwerben kann und der noblen und vorzüglichen Café-Konditorei zum „Schwalbennest“, welches zum Bäckereiimperium des Hubert Auer gehört, hinaus zur Mur. Da gehen wir einmal bis zur Mitte der Hauptbrücke, um ein erstes Mal innezuhalten und das Panorama des Schlossbergs, den wir gestern so eingehend besichtigt haben, sozusagen in einer Totale noch einmal auf uns wirken zu lassen. Wir sehen von rechts beginnend die Bürgerbastei mit dem Uhrturm als Krone und dann weiter links das obere Ende des Friedenssteiges, das Starcke Häuschen mit der mächtigen Kanonenbastei, die darüber aufragt und schließlich ganz oben, wenn wir einen günstigen Standpunkt einnehmen den Glockenturm mit der Liesl.

Munteres Treiben schon in der Früh am Franziskanerplatz.

Dann überqueren wir den Fluss, gehen kurz den Fluss abwärts in die Igelgasse, um vor seinem Geburtshaus des großen Malers Wilhelm Thöny zu gedenken. Auf den Südtiroler Platz zurückgekehrt, sehen wir vor unserem geistigen Auge schon das fertige Kunsthaus, dessen Front zum Platz heraus die Reste des „Eisernen Hauses“ sind, das bis 1906 Gaststätten und Läden sowie im obersten Geschoß das bekannte Café Meran beherbergte. Das Haus, dessen Flachdach 1850 eingestürzt durch ein Ziegeldach ersetzt wurde, trug wegen der vielen Blumen auf dem Balkon und der Terrasse auch den Namen „Blumenburg“. Bekannter ist das Gebäude den meisten Grazern als Kaufhaus „Brüder Lechner“, das zum Firmenimperium Kastner und Öhler gehörte.

Nach dem Kunsthaus erweitert sich der Platz, und wir schenken unsere Aufmerksamkeit zuerst einmal den beiden Häusern mit der Nr. 6 an der Ecke zur Mariahilferstraße und mit der Nr. 5 am Eck zur Griesgasse. Ersteres erlebte im Jahr 1797 eine wichtige historische Stunde, als in diesem prächtigen Barockhaus, seine Fassade ziert eine Madonna, die einen Drachen zertritt, General Bonaparte von den Grazer Ratsherrn der Schlüssel der Stadt übergeben wurde. Eine besondere Geschichte weiß das Haus Nr. 5 zu erzählen, in dem im Jahr 1722 der spätere Arzt Leopold Auenbrugger als Sohn des Gastwirts, der den Gasthof „Zum Mohren“ besaß, geboren wurde. Als Bub beobachtete er seinen Vater beim Abklopfen der Weinfässer und dabei ist ihm wohl der Gedanke an die Perkussion gekommen, eine Untersuchungsmethode durch Beklopfen der Körperoberfläche, die heute noch angewendet wird. Leopold Auenbrugger erlitt ein typisch österreichisches Schicksal. Er erfand und publizierte, aber erst fünfzig Jahre später fand die Perkussionsmethode ihre Anerkennung, und dass heute die Adresse des Landeskrankenhauses seinen Namen trägt, nützt ihm auch wenig. Am Haus, in

Die Madonna mit dem „Guckloch“ am Auenbruggerhaus.

Das Kunsthaus – geplant von den Architekten Cook und Fournier.

dem er geboren wurde, steht im ersten Stock auf einer Konsole eine bemerkenswerte Madonnenstatue, die keinem Geringeren als Johann Jakob Schoy zugeschrieben wird, den wir schon als Schöpfer des Hochaltars des Domes kennengelernt haben. Wenn wir genau hinschauen, sehen wir hinter dem Kopf der Madonna ein kleines Ausguckfenster, aus dem nur wenig vorspringenden „Rechteckerker", durch das man den Platz bis zur Mur beobachten konnte. Auf der Gegenseite des Erkers ist ein ebensolches Fenster angebracht, aus dem heute eine kleine Buddha-Statue schaut, die in jenem Buddhistenzentrum aufgestellt ist, das sich in der seinerzeitigen Auenbruggerwohnung befindet. Durch dieses Fenster hatte man einen guten Blick auf die ganze Nordseite des Platzes mit seinen schönen alten Giebelhäusern aus der zweiten Hälfte des 17. Jahrhunderts, aber auch auf jene Wand des Hauses Annenstraße Nr. 1, auf dem ein eindrucksvolles Pestfresko angebracht ist, das Gott Vater, die Madonna mit dem Kind und die Heiligen Franziskus, Dominikus, Rosalie, Sebastian und Rochus darstellt und im Jahr 1780 mit einem mächtigen barocken Stuckrahmen eingefasst wurde.

Bevor wir den Südtiroler Platz, den Straßenbahnschienen folgend, in die Annenstraße verlassen, wo uns förmlich die Barockfassade der Barmherzigenkirche, mit dem zwiebelbehelmten Turm von Johann Georg Stengg, mit ihrem Schwung und ihrer Farbenfreude „anspringen", machen wir noch einen Abstecher in die Mariahilferstraße, um drei profanen Bauwerken und der Kirche Mariahilf einen Blick zu gönnen. Das Haus mit der Nr. 2 ist das Barockpalais Thienfeld, das einen Saal mit goldverzierter Stuckdecke birgt, die ornamental umrahmt eine reliefartige Darstellung von Graz aufweist. Eine weitere Besonderheit ist das Haus Nr. 9, das Hotel „Mariahilf", das früher „Zum goldenen Roß" hieß, in dem, einer Gedenktafel zu-

Barocker Kachelofen im Palais Thienfeld.

Eine künstlerische Seltenheit: Der hl. Josef küsst die Hand des Jesukindes.

folge, im Juni 1857 der Dichter Adalbert Stifter auf dem Weg von Linz nach Klagenfurt abstieg und über Graz äußerte: „Graz ist äußerst lieb. Es erschien uns als Klein Wien."

Eine besonders zauberhafte Darstellung der Heiligen Familie finden wir dann am Haus Nr. 11, die 1770 von Philipp Jakob Staub geschaffen wurde und zu den ganz wenigen Darstellungen gehört, bei denen der hl. Josef dem Jesukind die Hand küsst.

Ein paar Schritte noch und wir sind bei der Mariahilferkirche mit der mächtigen doppeltürmigen Barockfassade, 1742 bis 1744 von Joseph Hueber geschaffen, während die Fassadenfiguren von Jakob Philipp Straub stammen. Besonders sehenswert ist im Inneren der Kirche das Gnadenbild mit der Gottesmutter, das Pietro de Pomis 1611 schuf und das einen kostbaren und kunstvollen Silberrahmen hat. Dieses Bild mit der „Mutter von Graz" hat auch mit dem Namen „Maria hilf" zu tun. Sein Schöpfer wollte nämlich kurz vor der Fertigstellung des Werkes, weil er von seiner Schönheit so angetan war, ein wesentlich höheres Honorar als vereinbart. Darüber geriet er mit den Minoriten in Streit und es geschah, dass er erblindete. In seiner Verzweiflung rief de Pomis „Maria hilf!" und gelobte die unentgeltliche Fertigstellung des Bildes, wenn er wieder sehend werde, was nach der Überlieferung schon nach zwei Tagen geschehen sein soll.

Die Mariahilferkirche aus der Perspektive der neuen Murpromenade.

Eine Besonderheit ist auch die Schatzkammerkapelle mit einer Kopie des Gnadenbildes und an der Decke einer Ansicht von Graz, wobei über der Stadt die „Stadtmutter" schwebt. Eine Gedenktafel an der Kirche erinnert daran, dass am 20. März 1782 Papst Pius VI. auf seinem Weg von Rom nach Wien zu Kaiser Josef II. die Kirche besuchte und hier einen Gottesdienst zelebrierte.

Im hinteren Teil des Klosters befindet sich das Sommerrefektorium, der sogenannte Minoritensaal mit Prunkstiege, in dem hochkarätige Kunstveranstaltungen, wie zum Beispiel Konzerte der Styriarte, stattfinden und um den sich das Kulturzentrum der Minoriten erstreckt, von dem schon an anderer Stelle die Rede war. Im Bereich des Klosters befindet sich auch das Diözesanmuseum Graz Seckau.

Die schwungvolle Fassade der Barmherzigenkirche am Beginn der Annenstraße.

Aber nun zurück auf den Südtiroler Platz und von dort an den Anfang der Annenstraße, zur Barmherzigenkirche. Hat man die Kirche betreten, beeindruckt der geschlossene Bau des weiträumigen Langhauses mit sechs dazu komponierten Kapellen. Der Hochaltar ist ein Meisterwerk des Bildhauers Joseph Schokotnigg und war bis 1977 von einem Barockbild „Mariä Himmelfahrt" nach Corrado Giaquinto geschmückt, das damals einem Brand zum Opfer fiel. Das Bild ist heute durch eine hervorragende Kopie des Restaurators Fritz Taler ersetzt, die dadurch möglich wurde, dass nach dem Brand in der Villa Borghese Giaquintos Originalbild aufgefunden wurde. Ein besonders wertvolles Kunstwerk, nämlich das Bild „Das letzte Abendmahl" des Kremser Schmidt befindet sich im alten Refektorium des Klosters, das heute als Festsaal benutzt wird. Kaum einer weiß, dass die Darstellung „Johann von Gott" am zweiten rechten Seitenaltar vom Grazer Adolf Pirsch stammt, der zu den gesuchtesten Portraitisten seiner Zeit gehörte und dessen Malstudium von Kaiser Franz Josef persönlich finanziert wurde. Das Gotteshaus war in der Zeit der Monarchie Grazer Garnisonskirche und ist es auch heute wieder. Eine Tafel erinnert noch an das bosnische Infanterieregiment, das in Graz stationiert war. In der Kirche befindet sich auch die Schiffsglocke des Schlachtschiffes „SMS Tegetthoff", die 1973 von der Marineschule in Kiel hierher gebracht wurde.

Nach diesem Ausflug in religiöse Gefilde verlassen wir die Kirche wieder und gehen die Annenstraße weiter bis zur nächsten Kreuzung, wo wir in die im spitzen Winkel links verlaufende Dominikanergasse abzweigen. Dort stoßen wir gleich am Haus Nr. 1 auf ein mit Stuck geziertes Haus mit einem Rundbogensteinportal, bei dem in der Höhe eine bemerkenswerte Sandsteingruppe „Heiliger Wandel" nach der Art des Marx Schokotnigg zu sehen ist. Die schmale Gasse weiter, an niedrigen Häusern mit Vorstadtcharakter vorbei, sind wir in Windeseile bei der Bürgerspitalskirche, die zunächst durch einen ungewöhnlich gestalteten, schlanken Steinturm und durch eine an der Außenwand angebrachte, 1720 von Johann Jakob Schoy besonders ergreifend gestaltete Pieta auffällt. Diesem Künstler verdankt die Kirche wohl auch die im Volksmund gebräuchliche Bezeichnung „Kleiner Dom". Von Schoy stammt schließlich der harmonisch in den spätgotischen Kirchenraum eingefügte Hochaltar, der an jenen im Dom erinnert, und das Altarbild von

Bemerkenswerte Sandsteingruppe „Heiliger Wandel".

Die Bürgerspitalskirche, oft auch „Kleiner Dom" genannt.

Franz Ignaz Flurer, das Pfingstereignis darstellend, ideal umgibt. Ein ganz besonderes Kunstwerk ist auch eine Darstellung des hl. Bernhard vor einem Kruzifix kniend, von dem sich der Gekreuzigte mit ausgebreiteten Armen auf ihn niederbeugt. Leider ist das Innere der Kirche nur zu den Gottesdienstzeiten – ein Tribut an unsere Zeit der Vandalen und Kirchendiebe – zu besichtigen.

Das Geburtshaus des großen Grazers Karl Böhm.

Ein stilistisches Kontrastprogramm zu diesem Kunstgenuss ist das Haus, das wir jetzt aufsuchen und das sich einige hundert Schritte weiter, in der Kernstockgasse befindet. Es ist das Geburtshaus des großen Sohnes der Stadt, des Dirigenten Karl Böhm, der hier 1894 auf die Welt kam. Das pittoreske Haus stammt im Kern aus dem 17. Jahrhundert und wurde um 1900 umgebaut. Von da eilen wir weiter in die nahe Andräkirche, in welcher der beliebte Altbischof Johann Weber bis 1969 Pfarrer war, bevor er zum Bischof bestellt wurde. 2001 wurde er schließlich von Egon Kapellari als Bischof abgelöst und stellt jetzt seine Dienste als Kaplan in der Pfarre St. Leonhard zur Verfügung. Künstlerisch besonders interessant in diesem Gotteshaus sind die hölzerne Sitzfigur des hl. Andreas aus der Zeit um 1490 in der ersten Seitennische, der Rosenkranz- bzw. Marienaltar im rechten Knick zum Hochaltar, wobei die Marienfigur wahrscheinlich von Joseph Schokotnigg stammt, und die Verspiegelungen des Volksaltares, des Ambo und einer Säule durch Gustaf Troger aus dem Jahre 2001, welche dem gesamten Kirchenraum eine besondere Spannung verleihen. Mindestens genauso spannend sind die multikulturellen Aktivitäten der Pfarre.

Von der Andräkirche geht's jetzt durch die Kernstockgasse ein Stück stadteinwärts, fast bis zum neu gestalteten, traditionsreichen Bad zur Sonne. Wir biegen vorher in die Grenardiergasse – Haus Nr. 14 ist das ehemalige Dominikanerkloster bzw. später die Dominikanerkaserne – und kommen, in den Kernbereich des sicher-

Schlossartig mutet das Haus Nr. 12 in der Sterngasse an, einst Gasthaus „Zum blauen Stern".

lich multikulturellsten Bezirk von Graz. Wenn man da bald zur Linken das Haus Sterngasse Nr. 12 erblickt, ein spätbarockes Bürgerhaus mit einer prachtvollen, fast schlossartigen Fassade und einer Marienstatue an der einen und einer Florianistatue an der anderen Ecke, kommt man aus dem Staunen nicht heraus. Dieses Haus mit langer Geschichte – 1669 befand sich hier das Gasthaus „Zum blauen Stern" und später einige Brauereien – gehört zu den baulichen Höhepunkten dieses Viertels, in dem bemühte Bürger versuchen, ein reiches kulturelles Leben zu entfalten, in das alle eingebunden werden sollen, die hier wohnen. Geht man von der Sterngasse weiter hinaus auf den Griesplatz ist man abermals verwundert über die architektonische Vielfalt der Häuser, die sich hier befinden, einstmals Sitz vieler Gasthöfe waren und allesamt in einem bemerkenswerten Zustand sind. „Schwarzer Bär", „Schwarzer Adler", „Goldene Krone" und „Blauer Stern" haben die gastlichen Stätten um den Platz einst geheißen. Heute gibt es sie längst nicht mehr. Eine schöne „Ecce Homo Säule" im nördlichen Teil des Platzes aus 1680 erinnert an die Pest, die in dieser Zeit in der Stadt wütete und beim Blick auf das Haus Nr. 7 „Zu den fünf Lärchen", darf man sich ruhig daran erinnern, dass hier 1790 Franz Xaver Riepl geboren wurde, der Schöpfer des

„Ecce Homo Säule" und „Welsche Kirche" auf dem Griesplatz.

österreichischen Eisenbahnnetzes, der, ein Ausnahmefall in diesem Land, als großer Techniker seiner Zeit noch erleben durfte, dass so gut wie alle von ihm projektierten Eisenbahnlinien begonnen oder bis zu seinem Tod im Jahr 1857 sogar fertiggestellt wurden.

Fast gegenüber steht die Welsche Kirche, die 1725 von der Bruderschaft zum hl. Franz de Paula, von deren Mitgliedern fast ein Drittel steirische Adelige waren, errichtet wurde, die 1717 beim Bischof den Antrag stellten, „auf der unteren Gries unweit der Ecce Homo Statue eine Kirche errichten zu dürfen“, was 1721 genehmigt wurde. Von dem den Bezirk optisch beherrschenden Posthochhaus im Hintergrund, schaut das anmutige Kirchlein aus wie ein Zwerg vor einem Riesen. Wenn der Priester und Kunsthistoriker Rochus Kohlbach über die Welsche Kirche schrieb, „dass hier Altäre, Decken, Plastiken, Gemälde, Statuen und Fresken harmonisch ineinanderwachsen wie sonst nirgends“, muss man ihm recht geben, sobald man dieses letzte in Graz unter italienischem Einfluss gebaute Gotteshaus betritt. Ein großes Werk von „Schwung, Kraft und sakraler Bühnenwirkung“ ist allein schon der Hochaltar von Franz Carl Remp, von dem auch das Altarbild stammt, das Franz de Paula, den Schutzheiligen der Kirche, gemeinsam mit dem hl. Michael darstellt. Viele Meisterwerke sind hier auf so kleinem Raum zusammengedrängt zu bestaunen, dass einem das Herz zu singen anfängt. Verlässt man die Kirche wieder, quert den Platz und meidet seinen nicht ganz gelungenen neu gestalteten Teil, um durch die Griesgasse in Richtung Südtiroler Platz zurückzukehren oder hinauszugehen zum Grieskai an der Mur und dort, an den größten Hotels der Stadt, dem „Weitzer“ und dem „Wiesler“ vorbei, trifft man gleich am Beginn der Griesgasse auf das Haus des Griesbäckers, einem kleinen Bäckerladenvorbau aus dem 17. Jh., der das einzig erhaltene Beispiel dieser Art in Graz ist und den es sich fürwahr zu betrachten lohnt.

Seit dem 17. Jahrhundert so gut wie unverändert: der „Grießbäcker“.

Dann geht es an wechselvollen Hausfassaden – im wahrsten Sinn des Wortes – und an verschiedenartigsten Geschäften und Lokalen, ebenfalls im wahrsten Sinn des Wortes, zurück auf den Südtiroler Platz, wo wir die Straßenbahn besteigen wollen, um nach Eggenberg zu fahren, zum „Steirischen Escorial“, dem Schloss Eggenberg, dem wir am Nachmittag unsere ganze Aufmerksamkeit schenken wollen.

Allenthalben gut erhaltene Häuser im Jugendstil (oben) und klassizistisch-gotisierend (unten), wie diese beiden Details zeigen.

Bevor wir uns diesem Genuss für Auge und Herz hingeben, müssen wir aber noch eine Entscheidung treffen, für die wir auf der Fahrt mit der Straßenbahn (Linie 1 oder Linie 7) und beim anschließenden kurzen Fußmarsch zum Schlosseingang ausreichend Zeit haben. Wir müssen nämlich das Lokal für unsere wohlverdiente Mittagspause bestimmen und haben es dabei besonders leicht. Entweder wir entscheiden uns für den etwas nach der Endstation der Straßenbahn gelegenen „Almwirt“ und geben uns dort den Köstlichkeiten hin, die dieses Haus zu bieten hat oder wir begnügen uns mit einer kleineren Atzung und begeben uns gleich in den Schlosspark und suchen dort, den rechts vom Haupteingang gelegenen Barockpavillon auf, der im wohltuenden Grün gelegen bereits Schlossatmosphäre verbreitet. Die Entscheidung fällt insofern leicht, als sie nur von der Größe unseres Hungers bestimmt ist, weil seit kurzer Zeit auch dieser Ort der Gastlichkeit, von der Familie Steinbichler geführt wird, welche den Almwirt betreibt. Die Garantie für Qualität ist also da wie dort gegeben.

Schloss Eggenberg, der „Escorial von Graz", in seiner ganzen Pracht.

Wie auch immer unsere Entscheidung ausgefallen ist: erfrischt und gestärkt machen wir uns auf, Schloss Eggenberg, von vielen nicht ohne Grund Escorial von Graz genannt, zu besichtigen. Auf dem Weg auf das mächtige Barockschloss zu, das wir zunächst zwischen den Bäumen des weitläufigen Parks und dann in seiner ganzen Pracht frei vor uns sehen, können wir ein wenig über die Entstehungsgeschichte dieses Prunkstücks von Graz nachdenken. Es ist erwiesen, dass schon im 15. Jahrhundert hier eine größere Anlage bestand mit einem Wehrturm, der bei der frühbarocken Umgestaltung des Schlosses sehr geschickt als Mittelturm verwendet wurde.

Das erste Schloss soll der Überlieferung nach um 1490 von Balthasar Eggenberger errichtet worden sein. Der jetzige Bau wurde von seinem Errichter Hans Ulrich von Eggenberg ganz wesentlich beeinflusst, der bei der Planung eng mit Pietro de Pomis zusammenarbeitete. Dieser Hans Ulrich ist der Erfolgreichste und Bedeutendste im so mächtigen Geschlecht der Eggenberger, das es zu großem Vermögen, Macht und Einfluss brachte. Der schon erwähnte Balthasar Eggenberger aus dem Grazer Zweig des Geschlechts fungierte als Münzmeister unter Kaiser Friedrich III., während zum Beispiel Ruprecht Eggenberger vom Ehrenhausener Zweig, ein Vetter Hans Ulrichs, als Feldherr zu Ruhm kam. Er wurde 1611 im beeindruckenden Mausoleum der Eggenberger, das über Ehrenhausen in der Landschaft liegt und vor dem zwei mächtige Steinkrieger Wache halten, beigesetzt. Seyfried von Eggenberg, ein Enkel des Münzmeisters Balthasar, der bei Kaiser Ferdinand I. in hoher Gunst stand, war Bürgermeister von Graz und der Vater Hans Ulrichs, der die größte Karriere unter den Eggenbergern machte. Er war einer der engsten, wenn nicht der engste Vertraute Kaiser Ferdinand II., der ihn „unser Oheim und lieber Fürst“ titulierte, und er war zunächst Präsident der Grazer Hofkammer. Dann wurde er, 1623 bereits in den Fürstenstand erhoben, im Jahr 1625 Statthalter von Innerösterreich. Genau in diesem Jahr begann er mit dem Bau des Schlosses, an dem noch Generationen der Eggenberger weiterbauten. Die Grafen Herberstein, an die das Schloss und der Besitz der Eggenberger durch Heirat fiel, sorgten im 18. Jahrhundert für eine teilweise Erneuerung der Innenausstattung des Schlosses. Seit 1938 ist es im Besitz des Landes Steiermark. Wenn der Landeshauptmann einen besonders eindrucksvollen Empfang geben möchte, bittet er in die Prunkräume des Schlosses. Dann leuchtet das Schloss mit seiner angestrahlten Fassade aus dem Dunkel der Nacht und in der Höhe des zweiten Stocks schimmert wie ein warmer Goldreif die Reihe von Fenstern, hinter denen Tausende von Kerzen brennen, weil es hier keine elektrische Beleuchtung gibt.

Jetzt aber gehen wir bei Tageslicht auf das Schloss zu, das von einem breiten Graben umgeben ist, in dem immer wieder verschiede Tiere untergebracht sind und vor dem vier mächtige, überlebensgroße Steinfiguren von Jakob Philipp Straub aus dem Jahr 1765 Wache halten. Das Wappenschild über dem prächtigen Portal und dem schwungvollen Balkon kündet vom Reichtum der Eggenberger und ihren Besitztümern. Im Zentrum sehen wir das Familienwappen mit den drei Raben auf blauem Grund und weiter den Adler für Adelsberg, die fünf Rosen für Krumau, den Anker für Pettau und das Rad für Radkersburg.

Der gesamte Bau, der in seiner Grundkonzeption an den Escorial erinnert, gibt Zeugnis von der Freude an Zahlenspielereien und Astronomie seines Erbauers Hans Ulrich. Das beginnt bei den Türmen. Das Schloss weist einen Mittelturm und vier Ecktürme auf, welche die vier Winde symbolisieren. Der gewaltige Bau wird durch einen mittleren und einen Quertrakt, in dem sich auch die Schlosskirche befindet, in drei Arkadenhöfe geteilt. Das ganze Schloss hat genau 365 Fenster nach den Tagen des Jahres und nach den 24 Stunden des Tages im zweiten Obergeschoß zwei Mal zwölf Prunkräume mit 52 Fenstern, nach den 52 Wochen des Jahres. Der große Festsaal in der Mitte, der den Namen Planetensaal hat, ist Anfang und Ende der Kette der Festräume. Die großen Deckengemälde stammen vom fürstlichen Hofmaler Hans Adam Weißenkircher und befassen sich mit der Thematik der sieben Planeten, der vier Elemente und einiger Sternbilder. Die prachtvollen Stuckaturen stammen von Alessandro Serenio. In der Reihe der Festsäle, Salons und Zimmer, die alle eigene Namen haben, ist chinesisches Porzellan ebenso zu bewundern wie ölbemalte Leinenbespannungen, prunkvolle Gobelins, Seidenmalereien und kunstvolle Einrichtungsgegenstände. Wir betrachten besonders das „Römische Zimmer" mit der Darstellung der Gründung Roms in Deckengemälden, das Maria-Theresien-Zimmer, in dem die Kaiserin schlief, als sie in Eggenberg weilte, das Leopold Zimmer mit Szenen von der Schlacht an der Milvischen Brücke und Portraitgemälden Kaiser Leopold I. und Eleonore von der Pfalz, und nehmen uns vor, bei einem weiteren Besuch alle Räume genauer anzuschauen, um die Pracht, die hier regiert noch eingehender zu studieren.

Zu den besonderen Kostbarkeiten im zweiten Stock zählt die Schlosskapelle im Mittelturm mit ihren herrlichen gotischen Kreuzrippengewölben und dem zum Ausgang des 20. Jahrhunderts glücklicherweise zurückerworbenen gotischen Flügelaltar, der um 1929 nach Amerika verkauft worden war. Die Schlosskirche „Maria Schnee", eine beliebte Heiratskirche, wurde 1756 von Joseph Hueber zwischen den beiden westlichen Flügeln eingebaut und beherbergt am schönen Hochaltar eine Kopie des Gnadenbildes Maria Schnee aus der Basilika Santa Maria Maggiore in Rom.

Mittelteil des gotischen Flügelaltars in der Eggenberger Schlosskapelle.

Eine herrliche Göttin Diana mit Hund im Schlosspark.

Der Schlosspark, in dem wir immer wieder frei lebenden Tieren begegnen, war bis zur Mitte des 19. Jahrhunderts als französischer Park mit streng geschnittenen Hecken, Brunnen usw. gestaltet und wurde dann in den englischen Park umgewandelt, als der er sich heute präsentiert. Neben der Orangerie im hinteren Teil des Parks ist das neu gestaltete, bemerkenswerte Lapidarium mit zahlreichen Römersteinen ebenso zu sehen wie der, Planetengarten genannte, französische Garten, der in zeitlicher Nähe zum Kulturhauptstadtjahr von Graz 2003 geschaffen wurde.

Beachten sollten wir noch die Abteilung für Vor- und Frühgeschichte und die Münzsammlung sowie die im ersten Stock des Schlosses entstandenen herrlichen Ausstellungsräume, die an die Stelle des Jagdmuseums getreten sind, das in das Schloss Stainz übersiedelt ist, was vor allem in der Jägerschaft für viel Aufregung gesorgt hat.

Es ist für einen Halbtag zu viel, was es im und um das Schloss Eggenberg zu sehen gibt und weckt den Wunsch nach Wiederkehr. Trotzdem unternehmen wir nach einem Abschiedsgetränk im Pavillon und der Rückfahrt mit der Straßenbahn in die Stadt noch einen kurzen Bummel durch das „Bermudadreieck“. Wir fahren diesmal mit der Tramway bis zum Jakominiplatz und sind fast benommen vom Wirbel, der uns hier nach der Ruhe im Schloss umfängt. Auch das Erscheinungsbild des Platzes, von bösartigen Mitbürgern „Platz der gelben Stangen“ genannt, macht deutlich, in welcher Zeit wir gelandet sind. Vom Jakominiplatz gehen wir über die Hans-Sachs-Gasse, vorbei am Bischöflichen Palais (Bischofsplatz Nr. 4), am Palais Inzaghi (Bischofsplatz Nr. 1), am Palais Katzianer, zu dem wir einen Sprung in die Stempfergasse Nr. 3. abbiegen müssen und dem gegenüber der „Keplerkeller“ mit gemütlichem Arkadenhof daran erinnert, dass hier Johannes Kepler mit seiner Gattin Anna von Mühlegg eine kurze und nicht gerade glückliche Zeit verlebte, vorbei am Palais d'Avernas auf dem Glockenspielplatz Nr. 5 und schließlich am Glockenspiel selber, das zwei Mal am Tag, nämlich um 11 Uhr und um 16 Uhr, viele Menschen mit steirischen Melodien und einem tanzenden Steirerpaar unterhält. Von da gehen wir weiter auf den Mehlplatz, auf dem wir bei der Betrachtung seines barocken Geburtshauses an Robert Stolz denken, für den es im ersten Stock ein kleines Museum gibt, und wenn wir auf der gegenüberliegenden Seite neben der Gamlitzer Weinstube die ehemalige Likörstube Haring sehen, denken wir an die vielen Literaten von Eugen Ionesco über H. C. Artmann, Gerhard Rühm, Michael Scharang, Gerhard Roth, Alfred Kolleritsch, Peter Handke und Wolfgang Bauer, die hier beim bitteren Kalmus die Welt neu erfunden haben. Durch den herrschenden Trubel und die Vielfalt des gastronomischen Angebotes sind wir so erschöpft, dass wir nur mehr die Kraft

Das Glockenspiel lockt täglich hunderte neugierige Gäste an.

Der Mehlplatz, rechts das Geburtshaus von Robert Stolz.

haben, vorbei an der „Herzl Weinstube“ durch die Prokopigasse das Café M1 anzusteuern und es mit dem Lift erreichen. Hier über den Dächern von Graz, mit Blick hinüber aufs Landhaus, das Rathaus, die Kuppel des Joanneums bis hinaus in den Westen nach Eggenberg lassen wir den Tag ausklingen, wie wir es schon gewohnt sind.

Ein moderner Akzent im Herzen der Altstadt: Das Cafe „M1“ auf dem Färberplatz.

Die Gustostückerl des dritten Tages:

- Kunsthaus – einst Café Meran
- Medizinpionier Auenbrugger und Buddha
- Kaiser fördert Grazer Künstler
- Der Handkuss des hl. Josef
- Der „Kleine Dom“
- Von Karl Böhm zu Gustav Troger
- Der Griesbäcker
- Ins Barockcafé oder zum Almwirt
- Eggenberg, der „Steirische Escorial“
- „Drei Raben auf blauem Grund“
- Ein „Planetengarten“ im Schlosspark
- Glockenspiel im Bermudadreieck
- M 1 – über den Dächern der Stadt

IV Die grünen Lungen von Graz

Der morgendliche Treffpunkt für unseren heutigen Tag, an dem wir uns den grünen Lungen der Stadt, das heißt ihren Parks widmen wollen, ist die dem Kaiser-Josef-Platz zugewandte Seite des Opernhauses, jener Platz, an dem Tag für Tag das Land in die Stadt hereinwandert und die Bauern und Gärtner anbieten, was der Boden hergibt. Welcher Platz wäre geeigneter sich vor Augen zu führen, dass nicht weniger als 9950 Hektar oder 78 % der Stadtfläche von Graz unverbaut und von Grün bedeckt sind. Über 200 Hektar sind im öffentlichen Besitz, also jedermann zugängliche Park- oder Gartenanlagen. Hier, wo wir sehen, wie das Grün des Umlandes einerseits als Obst, Gemüse und Blumen auf die Marktstände kommt und wie es andererseits seine Finger bis in den Stadtkern ausstreckt, sei es uns erlaubt, darüber erfreut zu sein, dass 35 Prozent des Stadtkerns, also der innersten Bezirke Grünfläche sind. Wer von der Gartenstadt Graz redet, tut es also mit gutem Recht und wir werden heute auch erfahren, was es in den grünen Lungen der Stadt Bemerkenswertes, nicht nur an Bäumen und Sträuchern zu sehen gibt.

Die evangelische Heilandskirche prägt das Bild des Kaiser-Josef-Platzes mit.

Zuerst einmal überqueren wir die Franz-Graf-Allee, die an der Nordseite der Oper entlang führt und betreten den Stadtpark, der eigentlich schon beim Platz „Am Eisernen Tor“ beginnt, und gelangen über eine breite

Täglich kommt hier das Land in die Stadt.

Treppe in die, auf einem Damm angelegte, hochgewachsene Dubrovnik-Allee, die uns bald im rechten Winkel nach links in die an die Grazer Partnerstadt erinnernde Montclair-Allee entlässt. Schauen wir genau an dieser Stelle hinunter in Richtung Burgring, sehen wir das Friedrich-Schiller-Denkmal, das von bunten Blumen umgeben ist. Schon in der Montclair-Allee werden wir, wenn wir nach wenigen Schritten nach rechts schauen, das Wetterhäuschen erblicken, an dem man Temperatur, Uhrzeit und Barometerstand ablesen kann und zu dem – damals war es allerdings noch der turmförmige Bau aus dem Jahr 1878 – Peter Rosegger so gerne von seinem Domizil in der Burggasse Nr. 16 heraufspazierte, um sich ab und zu mit seinem Freund, dem Komponisten Wilhelm Kienzl zu treffen, der im Haus Glacisstraße Nr. 65 im dritten Stock wohnte. Er konnte praktisch von Fenster zu Fenster zu Peter Rosegger in die Burggasse hinüberschauen, weil damals die Bäume noch nicht so hoch waren. Einmal schrieb Kienzl über seinen Wohnsitz: „Und nahm mir im Zentrum der Stadt Graz eine hübsche, unmittelbar am Stadtpark gelegene Wohnung, aus deren Fenster ich über lauter Baumwipfel hinweg das Plateau des im Mittelpunkt der Stadt gelegenen Schlossbergs mit dem Glockenturm der Liesl und in weiterer Ferne die Höhenzüge der Kor- und Gleinalpe und den Bergrücken des Schöckels erblicken konnte.“ Zwei Häuser daneben im Haus Nr. 61 wohnte der k. u. k. General der Kavallerie, Alexander Herzog von Württemberg, der Großvater der Queen Mary, mit seinen drei Kindern aus einer morganatischen Ehe, die hier von Conrad Kreutzer Zeichenunterricht erhielten. Das ist sicher der Grund dafür, dass auf zwei Panoramazeichnungen dieses Meisters die Häuser Glacisstaße Nr. 61 und Nr. 63 besonders deutlich zu sehen sind. Im selben Haus wie der Herzog verbrachten übrigens die Großeltern Robert Musils ihre letzten Lebensjahre bei ihrer Tochter Hermine Geyer. Robert Musil, der seinen Großvater sehr verehrte und sich oft mit ihm verglich, war häufig zu Besuch am Glacis und natürlich auch im Stadtpark.

Beim nächsten Weg verlassen wir die Allee und erreichen eine Stelle, von der aus wir eine interessante Dreiecksformation von Büsten bzw. einem Denkmal sehen können. Über unseren Köpfen, aus weißem Stein gehauen, sitzt sinnierend der Dichter Robert Hamerling, der über den Burgstern hinüberzuschauen scheint zur Büste des großen Landeshauptmanns der Steirer,

Josef Krainer I., den Alexander Silveri in Bronze portraitiert hat und der wiederum über den Burgstern zurück zu seinem Freund Hanns Koren zu blicken scheint, dem bedeutenden Kulturpolitiker aus der zweiten Hälfte des 20. Jahrhunderts, den Erwin Huber verewigt hat. Dann überqueren wir den Burgstern an dem die Erzherzog-Johann-Allee, die Wilhelm-Fischer-Allee und der Burgring aufeinandertreffen und an dessen linker Seite das Künstlerhaus steht, das über Betreiben des Malers Leo Scheu im Jahr 1952 vom Architekten Robert Haueisen geplant wurde. Nun gehen wir den breiten, asphaltierten Weg weiter in den Stadtpark hinein. Wir schauen zum Schanzgraben und den Steinfiguren darüber und auf jenes moderne Freiheitsdenkmal, das einen Adler darstellt, der sich in die Lüfte schwingt und das aus Anlass des österreichischen Staatsvertrages im Jahr 1955 von W. Skala geschaffen wurde. Dieser Adler erregte schon ein Jahr nach seiner Aufstellung großes Aufsehen, als er von offensichtlichen Gegnern der modernen Kunst mit Leim beschmiert und mit Gänsefedern „verziert“ wurde. Wir werfen auch einen Blick auf die rechts vom Schanzgraben in einer kleinen Waldnische stehende Figur der „Waldlilie“, die Hans Brandstetter nach einer Erzählung von Peter Rosegger geschaffen hat.

Der „Freiheitsadler“ über dem Schanzgraben, 1955 aus Anlass des Staatsvertrages geschaffen.

Und jetzt biegen wir, nachdem wir der Mozartbüste unseren Respekt gezollt haben, nach halblinks ab, um an der Büste Franz Nabls vorbeieilend jenem Mann die Ehre zu erweisen, dem es zu verdanken ist, dass es den Stadtpark überhaupt gibt. Wir stehen vor der überlebensgroßen Statue eines eleganten älteren Herrn, der auf seine Grazerinnen und Grazer herunterschaut, wir stehen vor dem Bürgermeister Moritz Ritter von Franck, der im Jahre 1867 erfuhr, dass das Finanzministerium die Absicht habe, die Glacisgründe, die als Exerzierplatz dienten, zu parzellieren und zu verkaufen. Sofort reifte in ihm der Entschluss, die Gründe

Bürgermeister Moritz Ritter von Franck, dem Graz seinen Stadtpark verdankt.

durch die Stadt erwerben zu lassen und einen Park für die Bevölkerung anzulegen. Schaute die Sache zuerst gar nicht gut aus, konnte er sich bald eines Bundesgenossen in Wien versichern, nämlich seines Freundes Alexander Anton Graf Auersperg, der sich als Dichter den Namen Anastasius Grün gab. Dieser begann einen Interventionsfeldzug im Finanzministerium und schrieb zwischendurch an Franck, dass er bereits mit einem Sektionschef habe sprechen können, der aber von einem angebotenen Tausch der Glacisgründe gegen ein Grundstück außerhalb der Stadt nichts gehört habe und dass er mit Finanzminister Prest noch nicht habe sprechen können. „Aber", so Auersperg wörtlich, „auch er wird seinem Schicksal nicht entgehen. Übrigens habe ich die hier anwesenden Stadtgenossen Kaiserfeld, Gleispach usw. angesungen, auch ihrerseits zur Förderung einer so guten Sache das Möglichste zu tun." Und es gelang.

Im Reichsgesetzblatt vom 20. November 1868 mit der Nr. 150 wurde das Gesetz veröffentlicht, das den Tausch der Glacisgründe gegen die Gründe beim Feliferhof gestattete. Nimmt man dieses Gesetz als Geburtsurkunde des Stadtparks so ist dieser 2003, im Jahr der Kulturhauptstadt Europas, genau 135 Jahre alt. 1869 wurde ein Stadtverschönerungsverein gegründet, der sich fünfzig Jahre lang um die Ausgestaltung des Parks verdient

Anastasius Grün, sein Mitstreiter in Wien um die „Grüne Lunge" der Stadt.

machen konnte, bis er seine Tätigkeit aus Geldmangel einstellen musste. Der erste Obmann dieses Vereins war Bürgermeister Moritz Ritter von Franck, der sich unter anderem mit Meckerern herumschlagen musste, die durch die Wiesen und Gebüsche die Moral in Gefahr sahen und natürlich auch um ihre Sicherheit bangten. Eine Grazer Zeitung machte sich auch in der Sache stark, wetterte gegen den Park und verlangte dessen Abgrenzung durch einen Bretterzaun gegen das Glacis hin. Aber Franck und seine Getreuen kämpften weiter, konnten erreichen, dass 1873 bei der Weltausstellung in Wien der Stadtparkbrunnen um 31.000 Gulden angekauft werden konnte, von dem immer wieder fälschlich publiziert wird, dass seine Seitenteile auf der Place de la Concorde in Paris stünden. Dort stehen zwar zwei Brunnen, die dem in Graz ähnlich, aber wesentlich älter sind. Sie stammen außerdem von Jakob Ignaz Hittorf und nicht von J. Klagmann.

Nun lassen wir Bürgermeister Franck, der zu seinem 80. Geburtstag von der Steiermärkischen Sparkasse einen Betrag von 25.000 Gulden samt Zinsen für den Park erhielt, wieder allein und gehen weiter zum Brunnen, schauen kurz zum ehemaligen Café Stadtpark, das seit 1959 als Forum Stadtpark ein Zentrum der modernen Kunst ist, und lenken dann unsere Schritte zum Glacis hinaus. Auf unserem Weg treffen wir zu beiden Seiten auf jene Statuen der „Austria" und der „Styria" von Hans Brandstetter, die bis 1964 auf der Hauptbrücke gestanden waren und nun hier einen halbwegs adäquaten Platz gefunden haben. An ihnen und einem kleinen Brunnen aus Eisen, geschmückt von einem Banner mit einem Steirischen Panther und dem Logo der Grazer Verkehrsbetriebe vorbei, erreichen wir den Fußgängerübergang zur Zinzendorfgasse, von wo bis zum Jahr 1898 eine Pferdetramway nach Maria-

Sommerliches Treiben vor dem schwungvollen Stadtparkbrunnen.

Der winterlich verfremdete Johannes Kepler (li.) und der herbstliche Stadtpark.

trost startete, die dann von der elektrischen Kleinbahn Graz-Mariatrost abgelöst wurde. Diese verkehrte bis 1939, als das Teilstück Zinzendorfgasse–Hilmteich stillgelegt wurde. Von dieser Stelle aus kommen wir vorbei am Ordensritterhaus mit dem Asylstein, der vom Schlossberg flüchtenden Gefangenen die Freiheit brachte, wenn sie ihn auf ihrer Flucht erreichten, und gelangen über eine kleine Stiege an die Südseite der Leechkirche, welche 1202 als Kunigundenkapelle errichtet, zu den ältesten Gotteshäusern von Graz gehört und in unseren Tagen der Studentenseelsorge dient. Besonders bemerkenswert an dieser Kirche sind das Tympanon über dem gotischen Eingangsportal, prachtvolle gotische Glasfenster, der schwungvolle barocke Hochaltar und davor der Volksaltar, ein allerdings nicht ganz unumstrittenes Werk des burgenländischen Bildhauers Karl Prantl, aus wertvollem dunkelgrünen Stein, das sich harmonisch in den gotischen Kirchenraum und an die barocke Einrichtung fügt.

Der Asylstein beim Ordensritterhaus in der Zinzendorfgasse.

Wir verlassen die Kirche durch den Haupteingang, gehen über ein paar Stiegen hinunter in eine schmale Gasse, die uns wieder zurück zum Stadtpark

Die 1202 als Kunigundenkapelle errichtete Leechkirche, davor das Ordensritterhaus.

bringt. Dort gehen wir halbrechts den schrägen Weg entlang, der uns in Richtung der großen Dammallee bringt, die sich durch den ganzen Park zieht. Bevor wir sie erreichen, kommen wir zuerst an einem Denkmal vorbei, das eine Portraitbüste von Johannes Kepler zeigt und vor ihm auf einer Marmorplatte eine Darstellung seiner Planetengesetze. Das Gedenkmal wurde 1979 vom Rotary Club Graz Schlossberg gestiftet auf Initiative seines damaligen Präsidenten Herbert Fieber, des Ordinarius für Mathematik an der Universität Graz. Nur ein kurzes Stück weiter, steht an einer Wegkreuzung in Blickrichtung Schlossberg das große hölzerne „Katholikentagskreuz" aus dem Jahr 1981 und an einem Weg, der parallel zur Allee in Richtung Norden führt unter einem Tollkirschenbaum die Büste des Historikers Hans Pirchegger, die leider auf einem unverhältnismäßig großen Sockel steht. An dieser Büste vorbei sieht man bereits hin zum überlebensgroßen Standbild von Alexander Anton von Auersperg, der sich, wie wir schon wissen den Künstlernamen Anastasius Grün gegeben hatte und den wir als Bundesgenossen von Bürgermeister Franck im Kampf um den Stadtpark kennen gelernt haben. Den letzten Teil des Stadtparks zur Parkstraße hin haben wir schon gesehen, als wir vom Paulustor in Richtung Landesturnhalle gegangen sind, um unseren Anstieg auf den Schlossberg in Angriff zu nehmen. Wir können deshalb den Weg nehmen, der gerade auf das Anastsius Grün Denkmal zuläuft und der uns hinausbringt zum Geidorfplatz, dem lebendigsten „Umschlagplatz" dieses Viertels mit Blumen, Bäckereien, einem Delikatessengeschäft, dem traditionsreichsten Würstelstand der Stadt, dessen Geschichte seit dem Zweiten Weltkrieg lückenlos nachvollziehbar ist und in dem seit 1945 das Werbeschild mit dem Spruch hängt: „Sehr gesund und nicht sehr teuer ist der Krenn aus Untersteier." Seit 2002 gibt es hier auch einen kleinen Bauernmarkt, der jeweils am Mittwoch und Samstag das Land in die Stadt bringt.

Lebendiges Zentrum des 3. Bezirkes, der Geidorfplatz.

Weil es zu unserem nächsten Ziel, dem Hilmteich doch ein schönes Stück ist, fahren wir vom Geidorfplatz mit dem Bus Nr. 58 oder 63 zwei Stationen und erreichen die Liebiggasse, in die wir rechts einbiegen, um nach kurzer Zeit unsere Schritte durch die Johann-Fux-Gasse auf den „Herderberg“ zu lenken, von dessen höchster Stelle wir zur Linken auf jenes schöne Bauwerk mit der Nr. 3 niederblicken, das bis vor kurzem Schülerheim und jetzt Sitz des Steirischen Volksbildungswerkes ist. Hier hatte sich der Bruder Napoleons, Louis Bonaparte, der in Graz als Graf von Saint Leu lebte, niedergelassen, nachdem er aus dem Palais Welsersheimb ausgezogen war. Von hier unternahm er oft Spaziergänge hinaus nach Mariagrün, wo wir ihm heute noch als Literaten begegnen werden.

Zeugnis von Reichtum und Geschmack: Gründerzeitvilla in der Schubertstraße.

Jetzt gehen wir aber einmal die Herderstraße, an schönen Gründerzeitvillen vorbei, hinunter in die Schubertstraße, deren langgezogener Allee wir in Richtung Osten folgen. Wir kommen an dem Gebäude des pflanzenphysiologischen Instituts vorbei, dessen alte Bausubstanz der Architekt Klaus Kada, auf geniale Weise mit einem modernen Trakt verbunden und damit eine bauliche Einheit erzielt hat, wie man sie selten findet. Eines der beiden Glanzstücke moderner Architektur in der Schubertstraße, die eigentlich eine Allee ist. Noch ein Stück weiter nämlich, vorbei an einer schönen Gründerzeitvilla nach der anderen, kommen wir zu den neuen Gewächshäusern der Botanik, die Volker Gienke geplant hat und die wie schwebende Körper von einem anderen Stern wirken, in ihrer schimmernden Durchsichtigkeit und in ihrem Glanz, wenn die Sonne auf sie scheint oder wenn sie von innen beleuchtet sind.

Durchsichtig schimmernd, die neuen Gewächshäuser von Volker Gienke.

Jetzt ist es nicht mehr weit, und wir erreichen die Haltestelle Hilmteich der Straßenbahnlinie 1, bei der ein schönes altes Wartehäuschen vor Regen schützt und von dem aus man, bevor man die Straße überquert, rechts im Wald eine Tanzschule erspäht, die im Stil eines Tiroler Hauses gebaut ist. Links davon steht das Hilmteichrestaurant, das wie ein Schlösschen ausschaut, und 1858 erbaut wurde. Hier locken ausgezeichnete italienische Spezialitäten, wenn wir auf eine Stärkung zwischendurch reflektieren. Der Hilmteich, ein beliebtes Ziel vieler Grazer, wird im Sommer für Schinakelfahrten genutzt, wie man hier liebevoll die Fahrten in den Ruderbooten nennt und im Winter ist der Teich das Reich der Eisläufer und der Eisstockschützen.

Oase der Stille und Entspannung: der Hilmteich.

Diese romantische Oase wird umfangen vom Leechwald, der sich von hier bis hinaus nach Mariatrost zieht, Anziehungspunkt vieler Spaziergänger und Jogger ist und aus dem nicht weit vom Hilmteich entfernt eine geheimnisvolle Metallkuppel ragt, die man allerdings von hier aus fast nicht mehr sehen kann, weil die Bäume zu hoch sind. Das utopisch anmutende Ding mitten im Grün erweckt aber vom Schlossberg und vom Rosenhain aus das Interesse der Neugierigen. Diese Kuppel krönt heute die 1888 errichtete Hilmwarte, auf der man bis zum Beginn der achtziger Jahre des 20. Jahrhunderts über 183 Stufen eine Aussichtswarte mit einem steilen Ziegeldach erreichen konnte. Seit damals reicht der „Blick" von dort in den Weltraum. Die ehemalige Hilmwarte beherbergt nämlich das „Institut für angewandte Systemtechnik" des Joanneum Researchs, in dem unter der gestrengen Obhut des Grazer Weltraumpapstes Willibald Riedler, Detailwetterwerte für die Planung zukünftiger Nachrichtensatelliten erforscht werden.

Die Wallfahrtskirche Mariagrün.

Ein Gedicht von Anastasius Grün erzählt die Entstehung der Kirche.

Wir könnten jetzt von hier in einem langen Fußmarsch hinaus nach Mariatrost „wallfahrten", um an das Marienheiligtum von der Gottscheerstraße her zu gelangen. Wenn wir aber schon am Hilmteich sind, machen wir einen Abstecher nach Mariagrün zur romantischen Wallfahrtskirche, die sich zwischen Bäumen versteckt und in der Peter Rosegger seine zweite Ehe schloss. Ein wenig abseits von der Kirche steht unter einer Baumgruppe eine Steinsäule, auf der Gedichte, darunter eines von Anastasius Grün und ein besonders wehmütiges von Louis Napoleon verewigt sind. Nach eingehendem Studium dieser lyrischen Ergüsse und der gewonnenen Erkenntnis, dass das Gasthaus, auf das die Gründungslegende von Mariagrün zurückgeht, nicht mehr existiert, wandern wir durch den Wald zurück zur Mariatroster Straße, folgen ihr ein Stück und biegen rechts in die Reifentalgasse, um der jüngsten Marienkirche des Mariatroster Tales einen Besuch abzustatten. Hier, in der 1974 geweihten Kirche Mariä Verkündigung, geplant vom Architektenduo Wolfgang Kapfhammer und Johannes Wegan, finden wir eine Innenausstattung des Malers, Architekten und Kunstpädagogen Gerhard Lojen, die in jeder Hinsicht durchdacht und konsequent in ihrer Farbigkeit erfreut. Nach diesem Ausflug in Bereiche der neuen Kunst führt uns der Weg zurück zur Straßenbahnhaltestelle Mariagrün, wo wir den „Einser" besteigen, und mit ihm bis zur Hans-Mauracher-Straße fahren. Es wird uns bewusst, was aus diesem vor fünfzig Jahren noch so grünen Tal, durch das eine Fahrt in offenen Straßenbahnwagen ein liebenswertes Abenteuer war, gute und weniger gute Architekten oder Planer für ein „Gesamtverbauungs(kunst?)werk" gemacht haben. Die nach dem Zillertaler Bildhauer benannte Hans-Mauracher-Straße gehen wir an seinem Atelierhaus (Nr. 29) vorbei hinauf bis zum Restaurant Häuserl im Wald, wo wir unsere inzwischen doch müden Glieder im Gastgarten oder in einem der Gasträume unter den Tisch strecken und uns von der Familie Legenstein kulinarisch verwöhnen lassen.

Wohltuend gesättigt gehen wir wieder hinunter zur Tram und fahren bis zur Endstation in Mariatrost, neben der ein interessantes Tramwaymuseum auf sich aufmerksam macht. Um für unseren Körper und für unsere Augen etwas Gutes zu tun, gehen wir von hier zuerst ein Stück die Straße und dann die endlos lange Stiege hinauf zur Wallfahrtskirche, de-

Die gewaltige und doch freundliche Fassade von Mariatrost.

ren vom noch jungen Johann Georg Stengg entworfene doppeltürmige Barockfassade wir von Schritt zu Schritt mehr bewundern. In der Kirche bestaunen wir am Hochaltar, dessen Marmor übrigens an der Baustelle der Kirche gebrochen wurde, die alte Gnadenstatue aus 1460, die von zwei großen, rauchfassschwingenden Engeln des Meisters Josef Schokotnigg flankiert wird. Bei einem Rundgang zu den Seitenaltären erkennen wir an den Wappen, dass jeder Altar von einer steirischen Adelsfamilie gestiftet wurde.

Besonders beeindrucken die Kanzel, ein Meisterwerk Veit Königers und die Freskenwelt in der Kuppel und im Langhaus, die von Lukas Schram und und Johann Scheidt stammt. Wer schauen kann, wird sehen, dass in diesen Fresken außer rein religiösen Motiven um die Gottesmutter, der Lauf der Kirchengeschichte von Kaiser Konstantin bis zum Seesieg von Lepanto und der zweiten Türkenbelagerung Wiens dargestellt ist.

Der Blick vom Augarten Richtung Norden zeigt, wie grün Graz ist.

Wir verlassen die Kirche und registrieren, dass der Tag noch jung genug ist, um mit der Straßenbahn zurück zum Südtiroler Platz zu fahren und von dort noch eine weitere Expedition zu zwei grünen Lungen zu unternehmen. Nachdem wir am Südtiroler Platz aus der Tram gestiegen sind, gehen wir zur Mur zurück und flussabwärts auf ihrer rechten Seite gegen Süden. Wir lassen uns nicht allzusehr ablenken und gehen flott. Einen Blick gönnen wir nur der großen neuen Nikolausstatue auf dem Nikolai Platz und etwas später am Grieskai einem Ensemble von altdeutschen Häusern mit bewegten Fassaden und schönem Fachwerk. Erst beim Erreichen der Augartenbrücke – es ist dies von der Hauptbrücke aus nach der Radetzkybrücke die nächste – gehen wir in ihre Mitte und schauen zurück auf den neu erstandenen Zeugen eines finsteren Kapitels der Geschichte von Graz, auf die neue Synagoge, die am

Die im Jahr 2000 wiedererrichtete Synagoge von Graz, die 1938 niedergebrannt worden war.

9. November 2000 ihrer Bestimmung übergeben werden konnte, nachdem die alte in der Reichsprogromnacht 1938 ein Raub der Flammen geworden war. Der Architekt Jörg Mayr, der die Einweihung seines Werks nicht mehr erleben durfte, hat mit diesem Gotteshaus, bei dessen Bau die alten Ziegel von der niedergebrannten Synagoge mitverwendet wurden, ein schönes Beispiel Archtiktur eines denkenden und bedenkenden Architekten entstehen lassen. Jörg Mayr wollte keine Rekonstruktion des Vorgängerbaues, weil dadurch „die verbrecherische Tat der Zerstörung vertuscht würde". Darum hat er ganz bewusst die 20.000 Ziegelsteine von der alten Synagoge, die bei dem von den Nationalsozialisten in der Alberstraße errichteten Amtsbau verwendet worden waren, beim Neubau eingesetzt, die von Schülern in Tausenden Stunden Arbeit gereinigt worden waren. Es geziemt sich auch daran zu erinnern, dass schon in der Alberstraße in der Mauer um das Amtsgebäude vom Künstler Fedo Ertl, ein „Gedenkmal" an die Zerstörung der alten Synagoge geschaffen worden war. Die neue Synagoge mit ihrer lichtdurchlässigen Glas-Metall-Kuppel hat etwas Leichtes und Erdverbundenes zugleich. Hebräische Schriftzeichen verzieren die Glaskuppel, durch die das Licht direkt auf jene Stelle fällt, an der aus der Thora gelesen wird. Ein gelungenes Bedenkwerk in jeder Hinsicht.

Nach diesem intensiven Blick auf die Synagoge gehen wir weiter über die Brücke in die grüne Lunge Augarten, die hinunterreicht bis zum Augartenbad. Auch dieser Park erfrischt und entspannt durch seine freie Gestaltung und es ist wie selbstverständlich, dass hier das ideale Umfeld für ein „Museum der Wahrnehmung" (Friedrichgasse Nr. 41) ist. Erklärtes Ziel dieses im früheren Volksbad (Tröpferlbad) eingerichteten Museums ist es, durch optische, akustische sowie begeh- und betastbare Exponate, den Sinn für die Wahrnehmung der Welt zu schärfen, was

Ein Ort der besonderen Art: das Museum der Wahrnehmung.

seit der Eröffnung im Jahr 1996, nicht zuletzt durch den Einfallsreichtum und die Konsequenz seines Leiters, Werner Wolf, gelungen ist. Und jetzt nehmen wir uns noch die Zeit für etwas Erstaunliches: Wir werden in den Straßen und Gassen hinter dem Augarten in Richtung Schönaugasse insbesondere in der Steyrergasse, der Pestalozzistraße und der Leitnergasse (vor allem durch den Haybeck-Bau Nr. 17) den Nachweis dafür erbringen, dass es ein Irrtum ist, dass alle interessanten Jugendstilbauten in den Gründerzeitvierteln im Osten von Graz, nämlich in Geidorf und in Leonhard zu finden sind. Es braucht nur kurze Zeit und wir erkennen: Beweis erbracht.

Jugendstil in reinster Form …

… in den Gassen hinter dem Augarten.

Ein wenig stolz über dieses Erfolgserlebnis, bei dem wir uns übrigens auch an den Griesplatz und sein Umfeld erinnert haben, gehen wir nun vom Augarten die Mur entlang zurück zu unserem Ausgangspunkt und passieren u. a. das Denkmal für Herzog Wilhelm von Württemberg, das Gebäude des Landesgerichtspräsidiums für Zivilrecht, das der Architekt des Justizpalastes in Wien, Alexander Wielemans, entworfen hat, den Andreas-Hofer-Platz, auf dem mit dem Gebäude der Stadtwerke das erste

Grazer „Hochhaus" steht und schließlich jenen eigenartigen spitzen „Beserlpark" gegenüber der Franziskanerkirche, aus dem auf wundersame Weise ein „Bedenkmal" der Künstlerin Veronika Dreier, in Form der Telefonnummer des Frauenhauses in großen Metallziffern, verschwunden ist und einem Kinderspielplatz „möglichst nah am Lärm und an den Abgasen" Platz gemacht hat.

Die „Nürnberger Häuser" entlang der Mur.

Damit sind wir wieder bei der Hauptbrücke, folgen der Mur flussaufwärts bis zum Edeggersteig, wo wir den Fluss überqueren. Wir schauen hinunter auf die „Acconci-Insel" und die im Juni 2002 fertiggestellte Murpromenade und gehen weiter am Fluss entlang unter den Trauerweiden bis zu den „Nürnberger Häusern", deren Bauherr Karl Böhms Vater, Leopold Böhm, war und deren verschiedenen Stilelementen wir für einen Moment unsere Aufmerksamkeit schenken, um dann durch die Fellingergasse auf den Lendplatz zu gelangen. Der architektonische Höhepunkt der Fellingergasse ist der 1903 erbaute Fellinger Hof, ein späthistorisch-gotisierender Bau.

Die barocke Pestsäule auf dem farbenfrohen Lendplatz.

Wir überqueren den Platz, gehen an den neu gestalteten Marktständen vorbei und erreichen jenen Bereich, wo am Vormittag auf Holzbrettern Bauern aus dem Umfeld von Graz, rund um die prachtvolle barocke Mariensäule, die an die Pest in Graz erinnert, ihre verlockenden Produkte auslegen. Wir blicken, bevor wir in die Volksgartenstraße einbiegen, geradeaus auf die Zentrale der Grazer Berufsfeuerwehr, einem interessanten Bau des Architektenteams „Werkgruppe" aus dem Jahr 1984, und gehen dann die Volksgartenstraße an der rechten Seite unter den Bäumen entlang, unter denen in der Adventszeit der Christkindlmarkt von Graz stattfindet. Zu unserer Rechten dehnt sich das wohltuende Grün des Volksgartens bis hinauf zur Weißeneggergasse aus. In diesem Park gehen wir zuerst zum Denkmal des Dichters und Politikers Karl Morré, der von den beiden Hauptfiguren aus seinem bekanntesten Stück „'s Nullerl" flankiert ist, schlendern durch den Park in seine westliche hintere Ecke, in der seit 2000 eine Stupa, d. h. eine buddhistische Andachtsstätte, steht.

Die Zentrale der Berufsfeuerwehr, 1984 von der „Werkgruppe" geplant.

Karl Morré, flankiert von den Gestalten seines „Nullerls".

Die Stupa, eine buddhistische Andachtsstätte …

… in unmittelbarer Nachbarschaft zur evangelischen Kreuzkirche.

An der anderen Ecke des Parks befindet sich die evangelische Kreuzkirche, die 1912–1914 erbaut wurde und an die das Minoriten- oder Mühlschlössl als Pfarrhof schließt, das schon 1560 vom evangelischen Landschaftsarzt Christoph von Gabelkhoven erbaut und 1889 umgebaut wurde, ein hakenförmiger Bau mit Fußwalmdächern und einer späthistoristischen Fassade.

Das „Lendplatzl" lockt mit kulinarischen Feinheiten.

Von hier schlendern wir durch den Volksgarten zurück, genießen seine aufgelockerte Gestaltung und beenden diesen, bisher anstrengendsten Tag unserer siebentägigen „Reise" durch Graz im gemütlichen Gasthaus „Lendplatzl", das schon durch sein originelles Äußeres, aber noch vielmehr durch das Angebot an bodenständigen Speisen lockt.

Die Gustostückerl des vierten Tages:

- 78 Prozent von Graz sind grün
- Peter Rosegger und das Wetterhäuschen
- Robert Musil am Glacis
- Bürgermeister Franck und Anastasius Grün
- Pferdetramway nach Mariatrost
- Oase Hilmteich
- Vom Leechwald in den Weltraum
- Louis Napoleon in Mariagrün
- Rast im „Häuserl im Wald"
- Die neue Synagoge von Graz
- Ein „Museum der Wahrnehmung"
- Buddhistische „Stupa" und Karl Morré
- Nahrhaftes „Lendplatzl"

Vom „Hirn der Stadt“ bis nach Kalvaria

Bevor wir uns dem Hauptziel oder besser gesagt den drei Hauptzielen des heutigen Vormittags, nämlich den drei Universitäten von Graz nähern, wollen wir uns den Luxus gönnen, einen einstimmenden Bummel durch das Geidorfviertel zu unternehmen und dort einige Gassen aufsuchen, die den farbigen Glanz der Gründerzeit widerspiegeln und die, wie wir sehen werden, mit großer Liebe gepflegt werden. Wir treffen uns an einem Ort, den wir schon kennen, nämlich vor dem Paulustor. Diesmal gehen wir aber nicht die Jahngasse hinunter, sondern halblinks durch den von uns bisher vernachlässigten Teil des Stadtparks, in dem es keine Denkmäler und Büsten, dafür aber Natur pur mit einigen seltenen Baumarten und einem schönen Blick hinunter auf die wechselvollen Fassaden der Häuser entlang der Parkstraße gibt. Bei der Fußgängerampel überqueren wir diese und kommen direkt in die Wormgasse, die ebenso wie die Peinlichgasse und die Wastlergasse zu jenen kurzen und daher sehr übersichtlichen Gründerzeitensembles gehören, die wie kostbar möblierte Gänge in Schlössern anmuten und durch Formen- und Farbreichtum erfreuen. Fantasievoll sind die Figuren, Gesichter, Blumen und Ornamente an fast allen Häusern, die

Bewegte Gründerzeitfassaden in der Humboldtstraße mit Blick bis zum Buchkogel.

Farbenfroh und bewachsen, ein offener Erker in der Grillparzerstraße.

nach einem vorliegenden Färbelungsplan gut aufeinander abgestimmt sind. Besonderes Augenmerk verdienen auch viele Haustore, wahre Meisterwerke der Zusammenarbeit von Kunsttischlern, Kunstschmieden und Glasern. In der Wastlergasse, welche die Bergmanngasse mit der Grillparzerstraße verbindet, bemerken wir, dass in diesem „swingenden" Stück aus dem auslaufenden 19. und beginnenden 20. Jahrhundert ausgerechnet das Haus Nr. 4, in dem Hanns Koren, der Mann, der die Kultur des Landes und der Stadt nach 1957 so nachhaltig geprägt hat, von 1940 bis 1956 wohnte, als Einziges aus Gründen der Sparsamkeit oder warum immer, seines reichen Schmucks beraubt wurde und so einen kleinen betrüblichen Fleck in der Gesamtheit bildet. Neben diesen drei kleinen Gassen finden wir auch in der Humboldtstraße, der Franckstraße, der Bergmanngasse, der Muchargasse, der Laimburggasse, der Wartingergasse und der Grillparzerstraße eine beachtliche Zahl von prächtigen Hausfassaden, zwischen die sich nur vereinzelt Nachkriegsbauten geschwindelt haben. In der Bergmanngasse treffen wir in den Häusern Nr. 22, 25, 26 und 28 nicht nur auf schöne Häuser, sondern auch auf die Wohnstätten bedeutender Grazer aus der Welt der Theologie, der Medizin und der Kunst. Im Haus Nr. 22 lebte der Bildhauer Rudolf Zilli, in dem mit der Nr. 25, dem Priesterheim, bis zu sei-

Blick von der Franckstraße hinunter zur Grabenstraße.

nem Tod der Theologe und Prediger von besonderem Format Georg Hansemann, gegenüber im Haus Nr. 26 der Pionier der Röntgenologie und Radiologie Anton Leb und daneben im Haus Nr. 28 der Chemiker Hans Lieb und nach dessen Tod der Ordinarius für Funktionelle Pathologie und Rektor der Grazer Universität Horst Klingenberg.

Einst im Besitz eines Baumeisters, jetzt das Fischlokal „Kornati" in der Körblergasse.

Wir aber gehen von der Wormgasse, an deren Nordende heute ein Postamt jenen Platz einnimmt, an dem früher das Café Humboldt zum langen Verweilen einlud und in dessen Vorgarten man über den Zeitungsrand hinweg den berühmten „2er", die Ringlinie, die um den Schlossberg führte, mit ihren offenen Wagen beobachten konnte, die hier von der Bergmanngasse in die Humboldtstraße einbog. Wir gehen also von hier ein Stück die Humboldtstraße hinauf, um dann in der Grillparzerstraße in Richtung Norden weiterzubummeln.

Spannende Architektur: Einfamilienhaus, geplant von Szyszkowitz-Kowalski.

Vorbei am Margarethenbad und an den Häusern Nr. 39 bis Nr. 41, besonders schönen Jugendstilbauten, und am Krankenhaus der Kreuzschwestern überqueren wir die Richard-Wagner-Gasse. Während wir das tun, ist es angebracht, wehmütig nach rechts zu schauen, um dort einen Neubau zu sehen, an dessen Stelle bis Mai 2002 das Gasthaus „Milchmariandl" stand. In diesem traditionsreichen Gasthaus – lange Zeit auch Stammlokal vieler Mimen aus dem daneben stehenden „Schauspielersilo“, jenem Hochhaus in dem die Vereinigten Bühnen ihre Kräfte mit Wohnraum versorgen –, soll 1797 Napoleon eingekehrt sein, als er seine Truppen in Graz inspizierte. Nach der Richard-Wagner-Gasse endet die Grillparzerstraße bald in jener offenen Kleingartenanlage, die zu der „Postsiedlung“ gehört, einer einmaligen Wohnanlage, bestehend aus einstöckigen, spitzgiebeligen Häusern, die aneinandergebaut von der Bergmanngasse in einem Bogen bis hinauf in die Körblergasse reichen. Ein Durchgang in dieser Häuserzeile bringt uns auf den Lindweg, wo wir im Haus Nr. 29 das Geburtshaus der beiden Schauspielerbrüder Wolfram „Wolfi“ und Helmut Berger treffen. Daneben liegt in einem großen Garten das Schülerheim der Salvatorianer, hinter dem wir den mächtigen, silbrig glänzenden Aluminiumbau der Wirtschaftskammer Steiermark erspähen. Das Gebäude ist eines der gelungenen Beispiele für modernen Bürobau und ein Werk des Architekten Walther Kordon, der übrigens 1985 auch für den Um- und Anbau der Grazer Oper verantwortlich zeichnete.

Wo der Lindweg auf die Körblergasse trifft, wenden wir uns für einen kurzen Schritt nach links, vorbei an der Wirtschaftskammer und schauen durch einen Park mit herrlichen alten Bäumen hinauf zum Ferrischlössl, das bis zum Ankauf durch die Wirtschaftskammer die Studios der „Sendergruppe Alpenland“ und später des ORF beherbergte und dem wir bei unserem noch vor uns liegenden „Schlösserspaziergang“, einen Besuch abstatten werden. Am Ferrischlössl vorbei könnten wir durch die Zusertal- oder durch die Hochsteingasse auf den Rosenberg hinaufgehen und dabei Villen, erbaut in den verschiedensten Stilarten vom Biedermeier bis zum Stil der „Grazer Schule der Architektur“ des ausgehenden 20. Jahrhunderts, bestaunen. In der Quellengasse könnten wir

Ein zeitgemäßer Bürobau: die Wirtschaftskammer Steiermark, Planer Walther Kordon.

durch die Schönheit des Minoritenschlössls, das Herrschaft Rosegg genannt, 1596 erbaut wurde, verzaubert dann nach rechts in die Panoramagasse einzubiegen, die uns geradewegs zum Café Rosenhain bringt, von dessen Terrassen wir den herrlichen Blick auf die Stadt genießen, um dann den Berg hinunterzugehen, in die Kühle eines alten Buchenwaldes einzutauchen und zum ehemaligen „Sommerrefektorium der Jesuiten“ zu gelangen, das 1654 erbaut, heute im erbärmlichen Zustand einer Ruine darauf wartet „wachgeküsst“ und im Zusammenspiel mit den weiter talwärts liegenden Teichen wieder einer sinnvollen Nutzung zugeführt zu werden.

Das könnten wir. Da es uns aber an Zeit mangelt, wenn wir unser Vorhaben, ins „Hirn der Stadt“ vorzudringen, wahrmachen wollen, gehen wir in der Körblergasse nach rechts, um nach der Richard-Wagner-Gasse an einem der mächtigsten und schönsten Jugendstilensembles der Stadt und schräg gegenüber an jenem nicht gerade einfallsreichen „Verdichteten Flachbau“ rund um die Steppanvilla, der Villa des ehemaligen Landeshauptmannes der Steiermark, Karl Maria Steppan, am Sanatorium Hansa und an weiteren schönen Villen vorbei in die Humboldtstraße zu gelangen. Jetzt biegen wir für ein kurzes Stück in diese Straße, um gleich wieder in die Mozartgasse abzubiegen, den Blick auf des ehemalige Anna-Kinderspital, das von der Gattin Erzherzog Johanns initiiert von ihm selber verwaltet wurde. Dann gehen wir durch die Mozartgasse weiter am Meerscheinschlössl vorbei, das wir auch noch näher kennenlernen werden, überqueren die Heinrichstraße, gehen zehn Schritte nach links und dringen nun tatsächlich in den unmittelbaren Bereich der Universität Graz, der Karl-Franzens-Universität, in der

Detail der Fassade eines Gründerzeithauses im Bezirk Geidorf.

an sechs Fakultäten, nämlich der katholisch-theologischen, der rechtswissenschaftlichen, der medizinischen, der sozial- und wirtschaftswissenschaftlichen und der geisteswissenschaftlichen Fakultät, geforscht und gelehrt wird.

Das Hauptgebäude der Karl-Franzens-Universität.

Wir tun dies, indem wir auf einem schmalen Weg in die weit gestreckte Anlage im Pavillonsystem vordringen, vorbei am Institutsgebäude für Geografie, Anglistik und Mathematik (GAMA) und gelangen an die Seitenfront des Hauptgebäudes der Universität. Um ihre mächtige Neorenaissancefront besser sehen zu können und einen guten Blick auf die Figuren auf der Attikabalustrade und an der Fassade zu haben, stellen wir uns in die Halbärthgasse. Wir sehen an der reich gegliederten Front die beiden Figuren Karls II. und Kaiser Franz I., welche die erste Universität in Graz, die wir schon in Augenschein genommen haben, gegründet bzw. für die Wiedererhebung des Lyzeums in den Rang einer Universität gesorgt haben. Diesen beiden, die Hans Brandstetter verewigt hat, verdankt die Universität ihren Namen Karl-Franzens-Universität. Auf der Balustrade stehen bedeutende Männer des Geisteslebens aus verschiedenen Epochen, nämlich (von rechts nach links) Hippokrates, Leonardo da Vinci, Immanuel Kant, Isaac Newton, Gottfried Wilhelm Leibnitz, Hugo Grotius, Aurelius Augustinus und Aristoteles, von verschiedenen Künstlern geschaffen, die dem mächtigen Baublock von Karl Köchlin und Wilhelm von Rezori aus den Jahren 1891 bis 1895 eine gewisse Auflockerung verleihen. Bevor wir den Campus verlassen, um den hinter dem Hauptgebäude gelegenen größten Bau der Universität, dem RESOWI (Fakultät für Rechts-, Sozial- und Wirtschaftswissenschaften) unser Augenmerk zu schenken, lohnt es sich ins Hauptgebäude zu gehen, hinauf in die Aula, um dort das Marmor-Standbild von Kaiser Franz Josef, das wiederum Hans Brandstetter schuf, die farbenfrohen Wandgemälde und die etwas unorthodoxe Galerie der Rektoren, in der von Ölgemälden Fritz Silberbauers und Leo Scheus bis zur Karikatur von Oswald Oberhuber verschiedene Stilrichtungen vertreten sind, kritisch zu betrachten, ebenso wie die Büsten der Nobelpreisträger, die hier gelehrt haben und die vor der Aula stehen. Wir sollten uns aber auch die Zeit nehmen, durch die Gänge mit den hohen Türen zu den Hörsälen zu schlendern, in den Innenhof zu gehen und auf diese Weise die Atmosphäre der alten Universität auf uns wirken zu lassen, die auf geheimnisvolle Art viel Ruhe und etwas vom Gefühl einer Gesamtuniversität – im Humboldtschen Geiste – auf uns überträgt. Wir sollten das schon deshalb tun, um beim Begehen des über 300 Meter langen spannenden Baus des RESOWI, der von den Architekten Günther Domenig und Hermann Eisenköck geplant wurde, und einen Block mit immer wieder herausragenden Bauteilen darstellt, zu spüren, in welcher Welt wir leben, zu leben gezwungen sind. Finden wir im Campus der alten Universität im Freien kein einziges Kunstwerk, so gibt es beim RESOWI zeitgenössische Kunstwerke von Janis Konellis im Eingangsbereich, Franz Graf im Bereich der Bibliothek und Heinz Gappmayr an der Fassade der Bibliothek, die starke Akzente setzen. Interessant ist, dass jene „Steinkunstwerke“ an der Front des Gebäudes zur Heinrichstraße hin, die vom Gartengestalter Janos Kopandy stammen, in ihrem Inhalt am meisten hinterfragt werden. Sie sollen, so erfahren wir, vom unbehauenen Stein bis zum glatten von Zahlen gezierten Würfel, die durch ein Gerinne verbunden sind, den Weg eines Studenten durch das Universitätsleben darstellen.

Zentraler Eingangsbereich des RESOWI, ein Bau der Architekten Domenig-Eisenköck.

Die vielen Gebäude, in denen Institute der Universität untergebracht sind und die über die Stadt verstreut sind, können wir unmöglich aufsuchen und wir wollen uns deshalb gleich in die Rechbauerstraße begeben zur „Alten Technik“, der Technischen

Morgendliches Leben vor der Technischen Universität.

Universität, die seit 1976 den Namen Erzherzog-Johann-Universität trägt, weil ihre Wurzeln in einer Gründung des steirischen Prinzen zu finden sind und die den zweitgrößten Anteil an Studenten und Lehrenden an dem haben, was wir keck das „Hirn der Stadt" nennen. Auch die Fassade der TU, nach Plänen von Johann Wist in der Zeit von 1885 bis 1888 erbaut, ist in späthistoristischem Neorenaissancestil erbaut, im Gegensatz zur Universität aber von einer Kuppel gekrönt. An der Schauseite sehen wir reiche Sandsteinplastiken darunter die Giebelgruppe „Austria schützt die Künste und Wissenschaften". Sehr interessant sind die Bogenzwickelfiguren der großen Aulafenster von Hans Brandstetter, welche Personifikationen der technischen Wissenschaften darstellen. In der Aula sehen wir ein beachtliches kassettiertes Spiegelgewölbe mit ornamentalen und figuralen Fresken von Paul Scholz sowie ein Marmor-Standbild Kaiser Franz Josephs und eine Bronzebüste Erzherzog Johanns beide aus 1888. Auch die TU, die sich in die Fakultäten für Architektur, Bauingenieurwesen, Maschinenbau, Elektrotechnik, die technisch-naturwissenschaftliche Fakultät und die Fakultät für Telematik gliedert, ist auf verschiedene Standorte verteilt.

Einer davon ist der von Günther Domenig geplante Anbau in Richtung Lessingstraße, spannende Architektur verfremdet durch eine riesige, bombastisch gerahmte „Wetterwand" des Malers Christian Ludwig Attersee. Von hier ist es nicht weit auf den Felix-Dahn-Platz, wo ein von 1985 bis 1989 von Michael Szyszkowitz und Karla Kowalski geplanter Gebäudekomplex ein interessantes Beispiel für Architektur der „Grazer Schule", die so genannte „Neue Technik" bildet. Von hier aus gehen wir in die Stremayrgasse, um zumindest einen Blick auf jenes mächtige Bauwerk zu werfen, das in der Nachkriegszeit errichtet wurde. Noch ein „Seitenblick" auf das EDV-Zentrum der Technik in der

Steyrergasse und wir wenden uns der dritten Universität von Graz, nämlich jener für „Musik und darstellende Kunst“ zu. Zu diesem Behufe gehen wir zuerst zur „Alten Technik“ zurück und von dort durch die Lessingstraße leicht bergab zur Leonhardstraße, wo wir gleich zur Linken die Seitenfront des Palais Meran sehen, jenes Palais, das sich Erzherzog Johann von Georg Hauberrisser d. Ä. für seine Aufenthalte in Graz erbauen ließ und in dem er 1859 starb. Dieses Palais ist heute das Herz der Musikuniversität, in der Studenten und Studentinnen aus 40 Ländern für wahrhaft internationales Flair sorgen. Die Universität, die diesen Rang erst seit 1998 hat, geht auf die erste Musikschule des Landes zurück, die im 1815 gegründeten Musikverein integriert war. An ihren Instituten kann man von Komposition über Dirigieren, von Bühnengestaltung bis zu Jazz und von Wertungsforschung bis zu Schauspiel Ausbildung auf höchstem Niveau erhalten. Und es gibt hier auch einiges zu sehen. Nicht nur die schöne, in einen Park hinausgehende Fassade des Hauberrisserbaus mit Büsten von Anton Bruckner, Hugo Wolf und Franz Liszt und plastischen Arbeiten von Katja Krusche davor, der Plastik „Akkord“ von Erwin Wurm als künstlerischem Akzent vor dem Neubau der Musikuniversität in der Brandhofgasse und an der Rückseite des Palais, das auch über einen schönen Festsaal und ein sehenswertes Stiegenhaus verfügt, das

Detail aus dem Zubau zur TU: Architektur vom Feinsten.

Das Palais Meran, Herz der Musikuniversität.

stilvolle „Theater im Palais", das in den einstigen Stallungen eingerichtet wurde. Beim Zugang von der Leonhardstraße steht die Plastik „Raumpartitur" von Gerhard Lojen. Ein Stück Weltarchitektur wird in den nächsten Jahren in der Lichtenfelsgasse entstehen, wenn das MUMUT, das „Musiktheater der Musikuniversität", gebaut wird.

Zukunftsmusik: das „Haus für Musik und Musiktheater" des Holländers Ben van Berkel.

Wir haben nur einen kleinen Teil von dem gesehen, was das „Hirn der Stadt", die drei Universitäten, in denen um die 35.000 Studierende von etwa 3.400 Lehrenden unterwiesen werden, ausmacht. Einen kleinen Überblick eben, bei dessen Gewinnung wir aber rechtschaffen hungrig und ruhebürftig geworden sind. Dem wollen wir mitten im Universitätsviertel, im gemütlichen Garten des „Schuberthofs" in der Zinzendorfgasse Rechnung tragen. Vorher geben wir uns aber einem ganz besonderen Genuss hin und nehmen unseren Aperitiv an einem der gemütlichsten Orte der Stadt, dem Biedermeiergarten des „Parkhotels" gleich neben dem Palais Meran, jenem Garten, dem Reinhold Schneider in seinem Essay „Später Sommer in Graz" ein literarisches Denkmal gesetzt hat. Der „Schuberthof", in dem wir dann essen, hat ein kleines Hintertürl hinaus in die Göthestraße, in der im Haus Nr. 47 der Dirigent und Musikforscher Nikolaus Harnoncourt ab 1938 lebte, nachdem er vom Palais Meran hierher übersiedelt war.

Gestärkt und ausgeruht gehen wir dann die Zinzendorfgasse in Richtung Stadtpark, haben dabei einen herrlichen Blick auf den Springbrunnen, dahinter das Forum Stadtpark und darüber den Uhrturm auf dem Schlossberg, der wie ein Zwerg auf die Stadt herunterschaut. An der Ecke zum Glacis besteigen wir den Bus Nr. 58, 63 oder 31 und fahren zwei Stationen, vorbei am Geidorfplatz bis zur Humboldtstraße. Jetzt gehen wir die Bergmanngasse ein kurzes Stück nach Norden, überqueren die Franckstraße und gehen nach dem Priesterheim (Nr. 25) den schmalen Weg vor dem neuen Bundesgymnasium-Bundesrealgymnasium Kirchengasse, das einen besonders interessanten, großstädtischen, architektonischen Akzent darstellt, nach links. Durch dieses Gässchen kommen wir auf den Platz vor der Pfarrkirche St. Johann am Graben, von dem aus wir zur Rechten das ehemalige Marieninstitut sehen, das seit 2000 Wohnungen dort beherbergt, wo durch viele Jahrzehnte Schulklassen waren. Die Grabenkirche mit ihrer von der Bergmanngassenseite her harmonisch aufsteigenden Dachlandschaft, die in einem Dachreiter kulminiert, der von einem roten Zwiebeldach gekrönt ist, wurde zu Mitte des Jahres 2002 genau 350 Jahre alt. Betritt man die ehemalige Kapuzinerkirche ist man sofort vom barocken Schwung der Einrichtung fasziniert, der von den kunstvoll geschnitzten Kirchenbänken bis zum Hochaltar reicht. Dieser ist von den Karmelitinnen am Andreas-Hofer-Platz über die Franziskanerkirche hierher gewandert, wobei das Altarbild mit dem hl. Johannes, von Anton Jantl aus dem Jahr 1778, wahrscheinlich erst hier eingefügt wurde. Sehr schön sind auch die beiden Seitenaltäre, die aus der Minoritenkirche Mariahilf hierher kamen, als sie Ludwig Jakomini, der Bruder des damaligen Bürgermeisters, wie schon den Hochaltar für seine Kirche erwerben konnte. Das wertvollste Stück der Innenausstattung ist der aus der „Freydhofkapellen zu St. Georgen in der Murvorstadt“

Die auftreppende Dachlandschaft der Grabenkirche.

stammende Silbertabernakel, der am Kreuzaltar, links im Seitenschiff der Kirche steht. Das wertvollste Bild ist die Darstellung „Mariä Verkündigung“ von Hans Adam Weißenkircher, das aus dem Besitz der Familie Attems stammt und erst 1998 als Dauerleihgabe aus der Stiegenkirche hierher kam.

Ein ganz besonderes Kunstwerk ist auch der lebensgroße Gekreuzigte, der in der linken Seitenkapelle hängt, neben einer Pieta von Jakob Gschiel, und der von einem Kapuzinerfrater aus Papiermaschee geformt worden war. Ein Kleinod, das allerdings nur in der weihnachtlichen Zeit zu sehen ist, sei erwähnt: es ist das „Prager Jesulein“, das von Weihnachten bis Maria Lichtmess über dem Tabernakel am Hochaltar aufgestellt wird.

Alt und neu: das Grabenschlössl verbunden mit Wohnbauten von Bernhard Hafner.

Nachdem wir die anheimelnde Kirche verlassen haben, gehen wir durch die Kirchengasse hinaus in die Grabenstraße, erstaunt über die Harmonie, mit der das Grabenschlössl mit einem modernen Alluminium-Glas- und Ziegelwohnbau des Architekten Bernhard Hafner, verbunden ist, auch wenn das von Teilen der Bevölkerung anders gesehen wird. Wenn wir in Richtung Norden in die Grabenstraße einbiegen, sehen wir schon den mächtigen, klassizistischen Doppelbau des Bischöflichen Knabenseminars, das einst als Internatsschule nur zukünftigen Priestern vorenthalten, heute um Schüler wirbt, die extern sind und sogar Schülerinnen aufnimmt.

Unvorstellbar noch vor gar nicht so langer Zeit, ebenso unvorstellbar wie das Faktum, dass hier Professorinnen unterrichten. Unfassbar z. B. Anfang der zwanziger Jahre, in denen hier ein August Musger, der Erfinder der Zeitlupe, als Lehrer wirkte. Die Schule birgt zwei interessante Kunstwerke aus unserer Zeit, nämlich die von Luis Sammer, der hier zuerst als Schüler stöhnte und dann durch viele Jahre als Kunsterzieher wirkte, geschaffenen

Mächtig wie eine Trutzburg: das Fürstbischöfliche Knabenseminar.

Glasgemälde in der Seminarkapelle und die „Südliche Landschaft“, in die er mit seinen Keramikarbeiten das Hallenbad der Schule verwandelt hat.

Wir gehen am Knabenseminar vorbei weiter hinaus gegen Norden, sehen zu unserer Rechten jene Teile der Wirtschaftskammer, in denen ihr Wirtschaftsförderungsinstitut mit seinen Werkstätten und eine Fachhochschule untergebracht sind. Dann überqueren wir die Hochsteingasse, verwehren uns eine nähere Betrachtung des Hauses mit der Nr. 90 c, der ehemaligen Bürgermeistervilla, der wir noch aus gegebenem Anlass einen Besuch abstatten werden. Jetzt folgen zur Rechten die Karmelitinnenkirche, von Georg Hauberrisser d. Ä. im Jahr 1836 errichtet, und das anschließende Klostergebäude. Die Sandstein-Nischenfiguren an der Kirchenfassade stellen den hl. Johannes vom Kreuz und die hl. Theresia dar und stammen ebenfalls aus dem Jahr 1836. Wir gehen die Straße auf der rechten Seite weiter entlang, erhaschen einen Blick in den stillen Garten der Karmelitinnen, in dem ein Kreuzweg am Ausläufer des Rainerkogels zu sehen ist.

Der Kontrast zu diesem Ort der Stille folgt auf dem Fuß, wenn wir zur Unterflurtrasse kommen, die seit 2002 die Kalvarienbrücke mit der Grabenstraße verbindet und schubweise Autos „ausspuckt“ und „schluckt“. Aber wir kommen bald wieder zu einer Oase der Einkehr, wenn wir ein Stück weiter nördlich die verkehrsreiche Straße verlassen und durch ein Tor zu der Kirche „Maria Schnee“ abbiegen, die seit 1842 im Besitz der Karmeliten ist und in den Jahren 1765 bis 1770 gebaut wurde. Am Hochaltar sehen wir ein Mariahilf-Gnadenbild aus der zweiten Hälfte des 16. Jahrhunderts, das 1859 von Josef Wonsidler restauriert wurde und immer wieder fälschlich als Kopie des Gnadenbildes von Santa Maria Maggiore bezeichnet wird.

Wieder in der Grabenstraße haben wir es nicht mehr weit bis zum Haus mit der Nr. 208, dem „Steinbruchhof“, einem viel bestaunten U-förmigen Bau mit Schopfwalmgiebeln, einem Rundbogensteintor und schmiedeeisernen Fenstergitterkörben, die wie der Bau selber aus dem beginnenden 17. Jahrhundert stammen.

Der „Steinbruchhof“ mit seinen Schopfwalmgiebeln in der oberen Grabenstraße.

Und jetzt noch bis zum Haus Nr. 219, dem ehemaligen Mauthaus an der Steinbruchmaut, mit einem breit gelagerten Schopfwalmgiebel und einem zweigeschoßigen Eckturm mit Zeltdach. Das auffallende und bemerkenswerte Bauwerk leidet bedauerlicherweise sehr unter dem hier Tag und Nacht strömenden Verkehr, dem wir so gut es geht zu entkommen versuchen, indem wir unsere Schritte in der Körösistraße wieder stadteinwärts lenken.

Ort der Kommunikation: typische Grazer Trafik.

Wir gehen unter Kühle spendenden Bäumen, bis wir zur weit gedehnten Anlage der Ortweinschule kommen, die aus dem Herzen der Stadt hierher gewandert ist und vor der eine besonders schöne Ziegelskulptur von Per Kirkeby aus dem Jahr 1992 darauf hinweist, dass wir es hier mit einer Schule zu tun haben, die der Kunst geweiht ist. Von hier könnten wir uns über das Schulgelände zur Mur hinüberschwindeln, um den Fluss entlang entweder zur Kalvarienbergbrücke nach Süden oder zum Kalvariensteig ein Stück nach Norden zu gehen, wo wir die Mur überquerend dem letzten Ziel des heutigen Tages zustreben könnten, nämlich dem Kalvarienberg von Graz.

Das wollen wir aber unterlassen und die Körösistraße weiter stadteinwärts marschieren, weil im Umfeld der Salvatorkirche ein besonderes künstlerisches Kuriosum auf uns wartet, das wir uns nicht entgehen lassen wollen.

An der Ecke zur Robert-Stolz-Gasse, die zum Pfarrzentrum Salvator führt, steht in einem Wiesenstück ein großes, rundes Relief von Wilhelm Gösser, das symbolische Gestalten für die verschiedenen Bereiche der Wirtschaft darstellt und den schönen Namen „Gewerbefleiß" trägt. Dieses Kunstwerk befand sich ursprünglich am Balkon der Zweigstelle einer Bank am Eisernen Tor. Als dort restauriert wurde, entfernte man das Relief und es wurde durch ein Logo des Geldinstitutes ersetzt. Auf wundersame Weise landete es auf der Mülldeponie am Köglerweg, wobei die „Landung" von einem aufmerksamen Bürger beobachtet wurde, der das Werk Gössers kannte. Da dieser Bürger auch um die verwandtschaftlichen Beziehungen des damaligen Chefs der Präsidialabteilung der Wirtschaftskammer, Herwig Brandstetter, zu Wilhelm Gösser wusste, griff er zum Telefon und teilte ihm seine Beobachtungen mit. Herwig Brandstetter ließ das Werk bergen und auf einem Platz neben dem Ferrischlössl in der Zusertalgasse schonend lagern, bis es zu einer Wiederaufstellung an einem geeigneten Platz kommen könne. Es folgte ein langes Hin und Her, verschiedene Aufstellungsorte wurden erwogen, sogar Bürgermeister Stingl eingeschaltet, aber es wollte nicht gelingen. Bis eines Tages der Pfarrer von Salvator, Pater Leo Tenner, auftauchte und darum bat, Gössers Werk bei dem neuen Haus, das er für hilfsbedürftige Frauen errichten hatte lassen, aufstellen zu dürfen. Da währte es nicht mehr lange. Der „Gewerbefleiß" wurde auf Kosten der „Steiermärkischen" restauriert und dann vom Ferrischlössl in Richtung Robert-Stolz-Gasse in Bewegung gesetzt. Dort steht er seit 1997 als Denkmal für aus existentieller Not gerettete Kunst.

Das ist also ein auf skurrile Weise gerettetes Kunstwerk, das auf eine seltsame Weise mit der letzten Station des heutigen Tages verbindet, bei dem es auch um die Rettung in letzter Sekunde geht, um die Rettung des Kalvarienberges nämlich, zu dem wir uns jetzt aufmachen. Wir benutzen die Körösistraße bis zum Kalvariengürtel, gehen dann über die Kalvarienbrücke weiter den Kalvariengürtel bis zur Augasse und diese entlang zur Kalvarienberggasse, welche uns auf Kirche und Berg zuführt.

Teil des „Barockthaters“ um das Leiden Christi: die Kalvarienkirche.

Eine Allee begleitet die Straße bis fast an die Kalvarienkirche heran, die uns mit grimmigen Figuren der Ecce Homo Gruppe, den „Einstieg“ in ein grandioses Barocktheater aus Stein ermöglicht, in welchem das Leiden Jesu bis zu seiner Kreuzigung dargestellt ist. Die Kirche mit einer Heiligen Stiege, die der Scala Santa bei der Lateransbasilika in Rom nachempfunden ist, und einem Hochaltar, der direkt an den Fels des dahinterliegenden Berges gebaut ist und hineingefügt in eine Kulisse, welche die Ölbergszene darstellt mit den schlafenden Jüngern und dem bereits mit Soldaten anmarschierenden Verräter Judas, hat etwas Unverwechselbares. Umfangreiche Restaurierungsarbeiten und die Errichtung eines ganz besonderen Volksaltares aus Stein, der vom Objektkünstler Wolfgang Rahs geschaffen wurde, geben der Kirche noch zusätzlichen Reiz. Etwas Besonderes ist auch die im Zuge der Erneuerungen installierte neue Lösung für ein Taufbecken: das Wasser dafür kommt direkt aus einer Quelle im Felsen neben dem Altar und kann für die Taufe sogar vorgewärmt werden. Der hinter der Kirche liegende Berg, mit seinen Kapellen, Stiegen und Mauern bis hinauf zur Kreuzigungsgruppe erstrahlt nach einer Generalsanierung seit Spätsommer 2002 in neuem Glanz. Im Jahr 1999 wurde nämlich durch ein Gutachten der Universität für Bodenkultur in Wien festgestellt, dass der gesamte Kalvarienberg in seiner Substanz gefährdet ist und alle Bauwerke auf dem Berg dringendst sanierungsbedürftig. Es herrschte Handlungsbedarf und Alarmstufe 1. Seit diesem Zeitpunkt hat ein Verein „Rettet den Grazer Kalvarienberg“ in Zusammenarbeit mit der Pfarre und der Diözese, großzügig unterstützt von Tausenden Privatpersonen, zahlreichen Institutionen und Firmen, die Mittel aufgebracht, die für diese Sanierung notwendig waren, und tatkräftig unterstützt und begleitet vom Bundesdenkmalamt und Landeskonservator Bouvier.

Nach der Sanierung der Dismas oder Mariatroster Kapelle im Jahr 2001, genau im dreihundertsten Jahr ihres Bestehens und der Grablegungskapelle zu ebener Erde, sowie der perfekten Restaurierung der Kreuzigungsgruppe auf dem Plateau des Austeins,

Die hervorragend restaurierte Kreuzigungsgruppe auf dem Kalvarienberg.

wie der Berg im 17. Jahrhundert genannt wurde, konnten bis Herbst 2002, die sieben weiteren Kapellen auf dem Berg, nämlich die Geißelungskapelle, die Magdalenenkapelle, die Dornenkrönungskapelle, die Kreuzfallkapelle, die Kreuzabnahmekapelle, die Johann-Nepomuk-Kapelle und die Verspottungskapelle von Grund auf saniert und restauriert werden. Die Werke großer Künstler, unter ihnen Johann Jakob Schoy, Veit Königer und Jakob Gschiel, sind damit wieder für lange Zeit der Nachwelt bewahrt. Der aus Kupfer getriebene und vergoldete Christus auf dem höchsten Punkt des Berges, der 1775 von Karl Elssner geschaffen wurde, stand bis 1827 auf der ehemaligen „oberen Murbrücke", die heute Kalvarienbrücke heißt, und mit ihrem blauen modernen Aufbau, der etwas von einer Klammer hat, die Bezirke Geidorf und Lend verbindet. Um den geschichtsträchtigen Kalvarienberg rankt sich auch so manche Sage, wie die mit dem Teufel, der die beiden Felsen Schlossberg und Kalvarienberg über Graz aus Wut zur Erde geschleudert hat, weil er seine Aufgabe nicht vor der Tagesanbruch zu Ende bringen konnte. Er wollte den Gipfel des Schöckel aufstocken und flog mit einem gewaltigen Felsbrocken gerade über der Stadt, als er die Osterprozession erblickte und vor Schreck und Wut den Felsen fallenließ, der in zwei Teile zersprang. Der Kalvarienberg gehörte ursprünglich dem Freiherrn Ferdinand von Marschwander, der den Austein 1596 den Jesuiten übergab, die 1606 erstmals drei Kreuze auf dem Berg errichteten. Die Kapellen auf dem Berg stiftete im Jahr 1660 Kaiser Leopold I., der in diesem Jahr im Schloss St. Gotthard Aufenthalt nahm, als er zur feierlichen Huldigung durch „alle Landleute vom Herren-,

Ritter- und Beamtenstand" in Graz weilte. Durch die Generalsanierung in den Jahren 1999 bis 2002 ist der Kalvarienberg auch wieder vertieft in das Bewusstsein vieler Menschen gedrungen – zum Beispiel jener, die im Zweiten Weltkrieg im Luftschutzstollen unter dem „Barocktheater auf dem Berg" Schutz vor den Bomben suchten, oder die mit ihren Eltern noch den beliebten Ausflug zur „Überfuhr" und damit über die Mur zum Berg machen durften – und wird heute wieder in verstärktem Maße aufgesucht.

Im Wissen um die Bedeutung des Berges und im Angesicht der bedeutenden künstlerischen Gestaltung, die sich sogar schon bis Brüssel durchgesprochen hat, was seinen Niederschlag in einer Doppelseite fand, die in einem Buch enthalten ist, in dem die wichtigsten Kalvarienberge Europas farbenprächtig und wissenschaftlich fundiert dargestellt sind, beschließen wir schweigend, aufgehoben im Frieden um die Kreuzigungsgruppe, mit einem Rundblick über das nördliche Graz und am Kirchturm vorbei zum Schlossberg hin, den heutigen Tag, um zu einer abschließenden Stärkung ins Gasthaus „Jackl" in der Augasse Nr. 57 zu gehen, in eine gastronomische Institution, deren Ruf weit über den Umkreis des Kalvarienberges hinausgedrungen ist.

Die Gustostückerl des fünften Tages:

- „Swingende" Gründerzeit
- Die Ruine im Rosenhain
- Bauliches Kontrastprogramm Universität
- Attersee Wetterwand in der TU
- Das „Theater im Palais"
- Das MUMUT kommt
- Reinhold Schneiders Biedermeiergarten
- Geheimtürl im „Schuberthof"
- Ein Weißenkircher in der Grabenkirche
- Der Tunnel zu den Karmeliten
- „Gewerbefleiß" auf seltsamen Pfaden
- Per Kirkeby vor der Ortweinschule
- Die Rettung des Kalvarienberges
- Der Ruf des Berges dringt bis Brüssel
- Der „Goldene Christus" von der Brücke
- Luftschutzstollen unter „Barocktheater"
- Der „Jackl" – eine Institution der Gastlichkeit

Alte Mauern – prominente Gäste

VI

Was wir heute zuerst vorhaben, nämlich eine Rundreise zu den Schlössern im Stadtbereich, können wir nur bewältigen, wenn wir einen fahrbaren Untersatz zu Hilfe nehmen, sei es das eigene Auto, ein Mietauto, ein Taxi oder ein Fahrrad. Natürlich kann man unsere heutigen Ziele auch mit den öffentlichen Verkehrsmitteln erreichen, allerdings ist diese Variante etwas umständlicher und zeitaufwändiger. Zu weit liegen sie nämlich auseinander. Da wir unsere „Schlösserreise" im Norden beginnen wollen, treffen wir uns wieder einmal vor dem Paulustor, wo unser Mietwagen gut parken kann. Wir fahren durch den Stadtpark hinaus zum Geidorfplatz, biegen in die Bergmanngasse ein und fahren in Richtung Norden weiter durch die Grabenstaße, die wir bis zur Steinbruchmaut von gestern kennen und stoßen hier weiter durch die Weinzöttlstraße in unbekanntes Gebiet vor. Wir kommen an einer riesigen Siedlung, mehreren Einkaufszentren und schließlich an einer Golfanlage vorbei, über die hinweg wir eine gute Aussicht auf die Kirche St. Veit haben, die auf einem Hügel liegt, die Landschaft oberhalb von Andritz beherrscht und hinter der wir den Hausberg von Graz, den Schöckel, sehen.

Gleich rechts von einer etwas komplizierten beampelten Kreuzung verbirgt sich Schloss St. Gotthard, bei dem wir unsere Rundreise beginnen wollen. Zuerst sehen wir nur das „Pfefferbüchsel", wie das über dem Schloss gelegene, 1830 erbaute Winzer-Wachhaus auf einer Felsklippe genannt wird, ein kreisförmiger Bau mit einem Kegeldach.

Das Schloss St. Gotthard am Fuße des Admonterkogels war ursprünglich Besitz der Herren von Stubenberg, die es 1350 an das Stift Lambrecht verkauften. Im Jahr 1532 wurde der Hof „Weinzierl" zerstört.

Der Turm von Schloss St. Gotthart, den schon Kaiser Leopold I. sah.

In den Jahren 1654 bis 1659 erfolgte der Neubau von Schloss und Kirche nach einem Entwurf von Benedikt Sciassia und war gerade so rechtzeitig fertig, dass 1660 Kaiser Leopold I. als er zu seiner Erbhuldigung in Graz weilte, hier Quartier nehmen konnte. An diesen Besuch erinnert noch heute eine Marmor-Inschrifttafel im Osttrakt der hakenförmigen Anlage, die früher an der Schlosskirche angebracht war, welche 1808 von Cajetan Graf Wildenstein abgetragen wurde, in dessen Besitz das Schloss in diesem Jahr gekommen war. Zuvor hatte das Schloss seit 1786 dem Religionsfonds gehörte. Die von den heutigen Besitzern, der Familie Dennig gut gepflegte Schlossanlage ist ein hakenförmiger, ummauerter zweigeschoßiger Bau an dessen Nordwestecke sich ein viergeschoßiger Turm erhebt mit einem laternengekrönten Zeltdach. Besonders schön sind die südliche Hofseite mit ihren zweigeschoßigen Pfeilerarkaden und den Stuckaturen an den Flachdecken der Arkadengänge. Das Schloss befindet sich, wie wir bemerkt haben, in Privatbesitz und kann nicht offiziell besichtigt werden.

Mitten im Grün über der Stadt thront die Burgruine Gösting.

Zu unserer nächsten Station, der Burgruine und dem Schloss Gösting fahren wir auf der steinernen Weinzöttlbrücke hinüber in den Bezirk Gösting, die Wienerstraße stadteinwärts, um dann wieder in Richtung Osten zu unserem Ziel abzubiegen. Auf dem Platz vor dem Schloss Gösting steigen wir aus und wagen den steilen Anstieg zur Ruine der Burg Gösting, die schon 1100 als Sperrfeste erbaut, von großer strategischer Bedeutung war. Die Burg, welche von den Landesfürsten als Lehen vergeben und von Vögten oder Pflegern verwaltet wurde, ist auf dem 1485 gemalten Landplagenbild am Grazer Dom rätselhafterweise brennend abgebildet.

Es ist nicht bekannt, ob die Burg zur Zeit als die Türken in Graz waren ein Raub der Flammen geworden ist. Von etwa Anfang 1600 an besaßen dann die Fürsten von Eggenberg die Burg, deren Aussehen auf einem Fischer Stich aus dem Jahre 1681 festgehalten ist. 1707 kam die Burg in den Besitz der Familie Attems, für die das Ereignis vom 10. Juli 1723 – die Burg wurde von einem Blitz getroffen und brannte nieder – ein willkommener Anlass gewesen sein dürfte, den Wehrbau preiszugeben und stadtnäher zu bauen. Der Plan wurde in die Tat umgesetzt und 1728 Schloss Gösting, zu Füßen des Burgberges fertiggestellt. Die Burg war lange Zeit dem Verfall preisgegeben, diente um die Mitte des 19. Jahrhunderts als „Steinbruch" für den Eisenbahnbau und Schatzsucher, für die bis 1900 von den Behörden Erlaubnisscheine ausgestellt wurden, taten ein Übriges. Seit 1925 ist der „Burgenverein Gösting" unermüdlich bestrebt, die Ruine zu sichern und zu renovieren.

Jetzt stehen wir beeindruckt vor dem Schloss im Tal, das Ignaz Maria Attems errichten ließ und das zu den reizvollsten Barockbauten der Steiermark gehört. Bis 1955 war es im Besitz seiner Nachkommen. Architekt des beschwingten Baus war vermutlich Johann Georg Stengg, der ein älteres Bauwerk miteinbezog, von dem im östlichen Erdgeschoß gewölbte Räume und im Obergeschoß noch ein einfacher Stuckplafond erhalten sind. Die Hauptfront, die jetzt der Durchzugsstraße zugekehrt ist, wird durch einen erhöhten Mittelrisalit hervorgehoben und ist reich mit Stuckornamenten, Laubwerk, Pilastern und Vasen plastisch modelliert. Im rechten Winkel zur Hauptfront flankieren einfache Seitentrakte die Schlossanlage und münden in zwei Eckpavillons. Auch die Hofseite ist durch einen schönen Mittelrisalit akzentuiert, dessen zweiarmiges, mit Fresken

Einer der beiden beschwingten Pavillons von Schloss Gösting.

geziertes Stiegenhaus in einen zweigeschoßigen Saal führt. Hier sind Deckenfresken des Matthias von Görz vorhanden, die er nach 1731 vollendete. Das in Privatbesitz befindliche Schloss ist schön restauriert und erstrahlt in Weiß und Kaisergelb, was bei den beiden Pavillons mit Pagodendächern besonders gut wirkt. Der westliche der Pavillons zeigt Reste von Fresken um 1735, die zu den Hauptwerken des großen steirischen Barockmalers Franz Ignaz Flurer, des „Hauskünstlers" der Attems, gezählt werden dürfen.

Weil es von der Streckenführung am logischsten ist, fahren wir jetzt von Gösting in die Wienerstraße, von dort auf den Bahnhofgürtel und biegen beim Bahnhof in die Keplerstraße und dann sofort rechts in die Babenbergerstraße ab, um zum Metahofschlössl zu gelangen, das etwas abgesondert im Nordteil des gleichnamigen Parks liegt. Der Metahof war um die Mitte des 17. Jahrhunderts noch ein größeres Gebäude im ländlichen Stil, ehe es seine Verwandlung in die heutige Gestalt erfuhr. Der Risalit in der Mitte der Front des Gebäudes dürfte erst um 1760 entstanden sein.

Von der früheren Pracht im Schloss, das jetzt – streng abgesichert – im Besitz einer Hochtechnologiefirma ist, nachdem es zwischenzeitlich die „Österreichische Akademie für Führungskräfte" beherbergt hatte, künden noch schöne und gut erhaltene Stuckdecken und wertvolle Parkettböden. Eine Besonderheit sind auch die vor dem Schloss im Park aufgestellten Adler, die nach der Demontage der alten „Hauptbrücke" hier „gelandet" sind. Schön sind auch die gegen Ende des 19. Jahrhunderts, nach Entwürfen von Friedrich König entstandenen schmiedeeisernen Gitterflügel.

Der entscheidende Umbau in die heutige Form wurde vom Baumeister Hueber ab 1744 unter Graf Maria Ludwig von Saurau durchgeführt. Das Schloss, zu dem damals auch eine Orangerie und ein Warmhaus für besonders empfindliche Pflanzen gehörte, gelangte über Josef von Schäffernberg, die Grafen Kottulinsky und die Grafen Draskowich schließlich an die Familie Reininghaus, die in der Zeit von 1889 bis 1945 ein echtes kulturelles Zentrum in diesem Haus aufbauten, in dem Karl Morré, Peter Rosegger, Hans Brandstetter und Wilhelm Kienzl ein- und ausgingen und dafür sorgten, dass neuer Geist in alte Mauern Einzug hielt. Heute ist es mit der Firma Vodafone auf eine andere Weise wieder so.

Das Ferrischlössl am Fuß des Rosenbergs.

Wir fahren nun weiter durch die Keplerstraße, über den Lendplatz und die Mur in die Wickenburggasse und auf Schleichpfaden in die Hochsteingasse zum Ferrischlössl, das in einem ausgedehnten Park oberhalb der Gebäude der Wirtschaftskammer liegt. Dieses Schlössl verdankt seinen Namen der Gräfin Ferri, der sogenannten „Schwarzen Gräfin". Sie hatte ihr Haus stets abgedunkelt und verließ es immer nur nachts und kehrte stets vor dem Morgengrauen wieder. Das Schlössl hat eine aus dem Jahr 1891 stammende interessante Form, mit einem spitzen Turm und einer hervorragend restaurierten Innenausstattung mit mächtiger Holzfreitreppe, Allianzwappen und stuckierten Decken. Das Schlössl hat aber auch eine spannende jüngere Geschichte: Bis 1983 befand es sich nämlich im Besitz der Sendergruppe Alpenland und dann des ORF Studio Steiermark. Vom ORF erwarb es die Handelskammer Steiermark unter ihrem Präsidenten Franz Kaufmann mitsamt dem großen umgebenden Park, als der ORF in sein neues Domizil, in das von Architekt Peichl entworfene neue Zentrum in St. Peter übersiedelte. Das Schloss dient seither den Interessen der steirischen Wirtschaft und dankbar können wir vermerken, dass die Handelskammer die Verpflichtung auf sich genommen hat, die grüne Lunge um das Schloss zu erhalten.

Vom Ferri Schlössl ist es nicht weit in die Mozartgasse, wo wir als nächstes das Meerscheinschlössl aufsuchen, in dem Institute der Universität untergebracht sind. Was man der reich gegliederten Gartenfront dieses Juwels angetan hat, bemerken wir, wenn wir hinter das Schloss gehen und in Richtung Heinrichstraße schauen. Die von einem quadratisch vorgezogenen Mittelrisalit dominierte Fassade mit konkav geschwungenen Seitenteilen, ist nämlich in einen Häuserblock hineingepfercht und wir können

Barocker Schwung und Anmut: Die Gartenseite des Meerscheinschlössls.

uns fast nicht vorstellen, wie prachtvoll es hier in der Zeit der Errichtung des Schlosses um 1590 und auch noch bei der Umgestaltung in die heutige Form im Jahr 1707 durch den Meister Andreas Stengg, ausgesehen hat, als die Parkanlagen noch bis zum Geidorfplatz reichten und der Blick zum Schlossberg vollkommen frei war.

Aber der Blick war auch in eine andere Richtung frei und das noch im Jahre 1723. Damals sah man von der Stelle, an der wir gerade staunend stehen, hinaus bis zur Burg Gösting. Als es dort zum fatalen Blitzschlag kam, von dem wir schon wissen, saß der Besitzer der Burg, Graf Ignaz Maria Attems, hier beim Kartenspiel im Garten. Es ist verbürgt, dass seine Mitspieler, als sie den Feuerschein in Gösting sahen, wohl um den betagten Herrn zu schonen, vor ihn traten, um ihm die Sicht zu nehmen. Darauf Graf Attems: „Sie können sich ruhig wieder hinsetzen und weiterspielen. Ich hab den Brand schon lang gesehen." Vor der Gartenfront, an der einen Fischer von Erlach und Lukas von Hildebrand sichtlich „anlachen", stehen vier überlebensgroße Sandsteinfiguren, die durch ihre statische Wirkung den Schwung der Fassade noch unterstreichen. Im Inneren des Bauwerks befindet sich ein großer Mittelsaal mit der einzigen josephinisch-klassizistischen Ausstattung von Graz. Reiche Stuckdekoration und ein Fresko, das den Sieg der christlichen Religion über die heidnische Götterwelt darstellt, sind bemerkenswert. An diesen Mittelsaal schließen zwei rechteckige und dann wieder zwei ovale Räume mit zum Teil zartem Stuck im Übergang vom Rokoko zum Klassizismus und zum anderen Rocaille-Stuckaturen.

Vom Meerscheinschlössl fahren wir weiter durch die Heinrichstraße nach Osten, zweigen in Kroisbach nach links in Richtung Mariagrün ab, um dem Schloss Kroisbach einen Moment unseres Interesses zu schenken, welches das Mariagrüner Tal mit seinem schlichten Bau und dem Glockentürmchen am Dach beherrscht. Die Anfänge des Schlosses liegen im Dunkeln. Eine Hofstätte Kreuspach ist im 14. Jahrhundert erwähnt. In der heutigen Gestalt wurde das Schloss zwischen 1650 und 1655 von einem Maurermeister Rossi für den Grafen Abundio Inzaghi erbaut und ging dann an viele weitere Besitzer. Allein von 1800 bis 1841 gehörte es fünf Familien. Der rechteckige Baublock mit hölzernem Dachreiter mit Zwiebelhaube und einem schönen Rundbogensteinportal ist in Privatbesitz und ein liebenswürdiger Akzent in der hügeligen Landschaft um Mariagrün.

Unser nächster Ortswechsel bringt uns in die Hallerschlossstraße in der Nähe des Schillerplatzes. Dort treffen wir am Westhang des Ruckerlberges auf das beherrschend gelegene aber gut zwischen Bäumen verborgene Hallerschloss. Es ist eine U-förmige, mächtige barocke Schlossanlage und steht an der Stelle eines bereits 1389 erwähnten mittelalterlichen Wehrbaues und wurde bis ins 18. Jahrhundert Schloss Sparbersbach genannt. Seine jetzige Gestalt erhielt das Schloss zu Beginn des 17. Jahrhunderts, wobei unter Carl Gottfried Breuner Umbauten vorgenommen wurden. Im Jahr 1766 kam das Schloss nach komplizierten Besitzwechseln und Rechtsstreitigkeiten an Friedrich Karl Haller, dessen Namen es bis heute trägt. Hervorstechend an der Schlossanlage sind die Ecktürme an der Westfront mit Zeltdächern, der Südturm und der Neorenaissance-Pfeilerarkadenhof, der 1923 entstand. Im Obergeschoß befindet sich, unter dem ebenfalls 1923 zu einem Turm umgebauten Dachreiter, eine der hl. Katharina geweihte Kapelle mit Stuckaturen und Ölmalereien. Im Park des in Privatbesitz befindlichen Schlosses stehen Sandsteinfiguren des Merkur und der Flora.

Der gewaltige Turm der neugotischen Herz-Jesu-Kirche.

Bevor wir zum nächsten Schloss weiterfahren, müssen wir hier unbedingt die Gelegenheit nutzen, zur nahen Herz-Jesu-Kirche zu schauen, die mit ihrem spitzen, aus roten Ziegeln gemauerten Turm, wie eine Nadel aus ihrem freundlichen Umfeld mit schönen Villen und prachtvollen Gründerzeitensembles vor allem in der Naglergasse, der Friedrich-Hebbel-Gasse, der Herrandgasse und zuvorderst der Eduard-Richter-Gasse, in den Himmel sticht und weithin sichtbar ist. Einen besonderen Reiz entfaltet der Turm, wenn er am Abend beleuchtet ist. Die Kirche, die Bischof Zwerger 1892 von Georg Hauberrisser d. J. als mächtigen Ziegelbau im neugotischen Stil errichten ließ, ist auch in ihrem Inneren ein Gesamtwurf ihres Architekten, wobei die Bildhauerarbeiten von Hans Brandstetter, Jakob Gschiel und Peter Neuböck beigesteuert wurden. In der Unterkirche befindet sich die von Hans Brandstetter geschaffene Marmortumba Bischof Zwergers. In der Herz-Jesu-Kirche haben übrigens die „Ritter vom Heiligen Grab" ihre Residenz.

Liebe zum Detail, Vorgartenkultur und wechselvolle Hausfassaden in den Gassen rund um die Herz-Jesu-Kirche.

Jetzt geht es relativ weit in den Südwesten von Graz, zum Schloss St. Martin, das man bei klarem Wetter vom Schlossberg aus am Ausläufer des Buchkogels sehen kann und von dem aus es auch nicht weit ist zur Kirche von Straßgang, mit ihrer besonders bemerkenswerten Schutzmantelmadonna, unter deren Mantel u. a. Kaiser Maximilian und Papst Pius II. hevorschauen. Jener Papst, der als Andreas Silvius Piccolomini eine Zeit lang Schreiber Kaiser Friedrich III. und Pfarrer von Irdning gewesen ist. Aber nun auf ins Schloss, das 1936 vom Land Steiermark erworben, zur geistigen Burg des bäuerlichen Fortbildungswesens geworden ist. Schloss St. Martin ist ein viereckiger, zweigeschoßiger Bau aus dem 17. Jahrhundert, der einen schönen Arkadenhof umschließt. An den Ecken befinden sich mächtige Türme, die den Wehrcharakter deutlich machen. Ein Schmankerl aus der Baugeschichte: Als das Schloss – an dessen Stelle schon zur Zeit Kaiser Karls des Großen ein Wehrbau stand, der eine Kirche umschloss – im Jahre 1688 seine heutige Gestalt erhielt, wurde vom Besitzer, dem Stift Admont, und dem Baumeister ein interessanter Vertrag abgeschlossen. Abt Urban vereinbarte mit dem Grazer Baumeister Peter Vasall eine Bausumme von tausend Gulden und 525 Liter Wein. Das Baumaterial, Essen für den Polier, täglich 1,41 Liter Wein für diesen und seine „Liegestatt wie es drinnen in Schlössern breuchig“ wurden ebenfalls vereinbart. In der Schlosskirche befinden sich prachtvolle Kunstwerke, darunter zuvorderst der berühmte Martinsaltar von Thaddäus Stammel, auf dem der Meister nicht nur den Heiligen zu Pferd darstellte, sondern zusätzlich zwei weitere „Stationen im Leben eines Pferdes“. St. Martin kam auf komplizierten Wegen von den Aribonen, dem Erzbischof von Salzburg, den Gartler von Hohenwart und über den Markgraf von Soune an das Stift Admont, in dessen Besitz es bis 1936 war. Das Schloss, das heute durch einen kongenialen Zubau der Architekten Kapfhammer und Wegan ergänzt wird, hat im Lauf seiner wechselvollen Geschichte viele bedeutende Gäste gesehen, unter ihnen im Jahr 1660 Kaiser Leopold I., später Kaiser Franz I., Erzherzog Johann und in unserer Zeit Landeshauptmann Josef Krainer sen., der sich gern mit seinen engsten Vertrauten hierher zurückzog, wenn es galt, Problemlösungen für das Land zu finden.

Unsere kleine Schlössertour wollen wir mit einem Kleinod beenden, zu dem wir uns zurück in die Stadt und auf den Rosenhain in die Quellengasse begeben. Dort steht das freundliche Minoritenschlösschen, das auch nach Frankreich passen würde, mit schräg gestellten Ecktürmchen, einem steilen Zeltdach und einem Josef Hueber zugeschriebenen spätbarocken Steinportal. Früher Herrschaft Rosegg, hat es seinen Namen von den Minoriten, denen es von 1637 bis 1789 gehörte. Seit 1883 ist dieses Meisterwerk der Baukunst, mit schönen Holzdecken aus der Zeit seiner Errichtung 1596/97 und prächtigen Sandsteinfiguren im Garten, im Besitz der Familie Luschin von Ebengreuth. Mit der Betrachtung des schönen Steinportals in der Umfassungsmauer, mit einem fein gearbeiteten Oberlichtgitter aus dem 18. Jahrhundert und einem letzten Blick zurück auf das Schlösschen beenden wir unsere Vormittagstour und lassen uns entweder zum „Alten Telegrafen“ in der Grabenstraße mit seinem herrlichen Gastgarten oder ins „Wirtshaus Greiner“, ebenfalls in der Grabenstraße bringen, um uns dort von jungen, kreativen Gastronomen mit Speis und Trank versorgen zu lassen.

Wir haben diese gastronomischen Stützpunkte gewählt, weil wir damit auch einen günstigen Ausgangspunkt für das haben, was wir am Nachmittag vorhaben. Wir werden nämlich einen Spaziergang zu Domizilen von „Randerscheinungen“ der Weltgeschichte unternehmen, die sich in Graz niedergelassen haben, um hier in Ruhe das Flair der Stadt zu genießen. Unser erster Besuch führt uns nur wenig von unseren gastlichen Stätten nach Norden bis an die Kreuzung der Grabenstraße mit der Hochsteingasse. Letztere überqueren wir und schauen, einen schmalen Weg benutzend, hinauf zum Haus Grabenstraße Nr. 90c. Dort steht auf einer Hügelkuppe eine Villa, die einmal Wohnsitz der Familie Washington war und heute ein „Sozialinstitut für Kinder“ der Stadt Graz beherbergt. Die im Jahr 1785 im englischen Landhausstil errichtete Villa wurde von einem Vetter des amerikanischen Präsidenten George Washington mit dem Namen John erbaut, und hat durch einige spätere Umbauten ihre heutige, nicht gerade umwerfende Gestalt bekommen. John Washington war gezwungen, seine Güter in England zu verkaufen und auf eine Reise durch Europa zu gehen, um sich einen ruhigen Platz zu suchen. Nachdem er Spanien, Frankreich und Italien bereist hatte, gelangte er irgendwie an einem strahlenden Tag nach Graz. Die Entscheidung war sofort gefallen. Er erwarb die von Grün umgebene Hügelkuppe in der Grabenstraße, von der man einen herrlichen Blick bis ins Herz der Stadt hatte. Seine

Noch gut erhalten, der Balkon der Villa Washington.

Familie, deren Grabmonument wir auf dem Evangelischen Stadtfriedhof St. Peter noch besuchen werden, blieb in Graz. Im Jahr 1929 starb der letzte männliche Spross, der nach dem amerikanischen Präsidenten George genannt wurde. Als letzte der Washingtons in Graz starb im Jahr 1941 die 93-jährige Viktoria Washington. Die Washingtons können allerdings nur etwas mehr als ein halbes Jahrhundert in der Grabenstraße gewohnt haben, weil bereits 1852 an dieser Stelle von einem Militärauditor Lenk gebaut oder umgebaut wurde. Ein weiterer Umbau erfolgte unter einem Grafen Auersperg und schließlich der Totalumbau durch die Stadtgemeinde Graz, unter Oberbürgermeister Kaspar, der hier die „Bürgermeistervilla“ gestalten ließ, in der so manche politische Größe aus und ein gegangen ist.

Das Grabmahl der Familie Washington auf dem Evangelischen Friedhof in St. Peter.

Unser nächstes Ziel erreichen wir, wenn wir an den Gebäuden der Wirtschaftskammer vorbei, durch die Körblergasse in die Humboldtstraße gehen, auf einem Weg, den wir schon kennen und dort das Haus Nr. 47 anpeilen, in dem der bekannte Neurologe Helmut Lechner seine Ordination hat, in der, wie sich nach dem 11. September 2001 herausstellte, auch Mitglieder der Familie Bin Ladens behandelt wurden.

In diesem Haus, das nach dem Zweiten Weltkrieg die Invalidenentschädigungskomission beherbergte, lebte ab 1875 Don Alfonso von Bourbon, der Bruder des spanischen Thronprätendenten Don Carlos, der mit Familie und großem Gefolge nach Graz kam. Zu diesem Gefolge gehörte auch ein junger Mohr, der im Geidorfviertel von sich reden machte. Alfonso war hierher geflüchtet, weil man ihm in Spanien Bluttaten und Plünderungen im Zuge des Bürgerkrieges nachsagte, der 1874 seinen Höhepunkt erreicht hatte und zudem hatte er sich mit seinem Bruder

Die Villa Neves in der Humboldtstraße, in der Don Alfonso wohnte.

Don Carlos zerstritten. Bei den liberalen Grazern hatte der Spanier aber nichts zu lachen. Sie zeigten ihm laut und deutlich ihre Abneigung, insbesondere, wenn er nach der 10 Uhr Messe im Dom die Kirche verließ. Er provozierte wiederum die Grazer, indem er ihnen mit dem Zylinder ironisch zuwinkte. Die Situation eskalierte und eine aufgebrachte Menge verfolgte ihn schließlich bis zu seiner Villa. Militär musste einschreiten, der Stadthalter, Baron Kübeck, erlitt vor Aufregung einen Schlaganfall und Don Alfonso verlegte seine Kirchenbesuche vom Dom in die Grabenkirche. Aber auch hier verursachte sein Erscheinen in Begleitung des orientalisch gekleideten Mohren einiges Aufsehen. Der Infant, der niemals nach Spanien zurückkehrte, verließ Graz 1917 und zog sich nach Ebenzweyer bei Gmunden zurück. Im Jahr 1938 fand der Neunundachzigjährige bei einem Aufenthalt in Wien, einen damals noch ungewöhnlichen Tod: Er wurde mit seiner Gattin in der Prinz-Eugen-Straße von einem Auto niedergestoßen und starb trotz rasch herbeigeholter Hilfe.

Jetzt machen wir einen schönen Spaziergang durch die Mozartgasse zum Campus der Universität, den wir durchqueren und gehen hinter dem RESOWI den Geidorfgürtel entlang in die Leechgasse, wo wir links abbiegen und die prachtvolle Villa Hartenau (Leechgasse 50) anpeilen. Sie wurde im Jahr 1890 von Alexander Battenberg, der nach einem wechselvollen Leben in Graz Ruhe suchte, erworben. Alexanders Bruder, Ludwig, wurde übrigens britischer Admiral, begründete das Geschlecht der Mountbattan und Königin Elisabeths Gemahl, Prinz Philipp, ist sein Enkel. Alexander Battenberg kam 1857 in Verona zur Welt und Feldmarschall Radetzky, der seinen Vater dorthin befohlen hatte, wurde sein Taufpate. Er war der Lieblingsneffe der Zarin aller Reußen und kämpfte 1877 beim Feldzug gegen die Türken an der

Seite seines Onkels, des Zaren Alexander II., wo er sich als Soldat besonders auszeichnete. Als auf dem Berliner Kongress die Frage auftauchte, wer den Thron des neugeschaffenen Fürstentums Bulgarien besteigen sollte, fiel die Wahl auf ihn. Im Juli 1879 leistete der erst 22-Jährige den Eid auf die bulgarische Verfassung. Was folgte, war ein europäisches Intrigenspiel erster Sorte, ausgelöst durch Alexanders Streben nach Unabhängigkeit für Bulgarien. 1886 durch eine Offiziersrevolte gestürzt, war er gezwungen, dem Zaren seine Abdankung mitzuteilen. Seine siebenjährige Regierungszeit war zu Ende und er zog sich in die Nähe von Darmstadt zurück. Dort lernte er die aus Linz stammende Opernsängerin Johanna Loisinger kennen, die nach Darmstadt engagiert worden war. Es war Liebe auf den ersten Blick. Er war fest entschlossen, sie zu heiraten und 1889 erlaubte ihm der Großherzog von Hessen seinen Titel und den Namen Battenberg abzulegen und sich nach einer hessischen Besitzung Graf Hartenau zu nennen. Als solcher reiste er mit seiner Johanna nach Nizza, wurde dort getraut und bewarb sich dann um eine Offiziersstelle in der österreichischen Armee. Kaiser Franz Joseph beorderte ihn 1890 als Oberst nach Graz, wo er die Villa in der Leechgasse kaufte und erst 36 Jahre alt am 17. November 1893 schwerkrank starb. Er wurde zunächst am Evangelischen Stadtfriedhof St. Peter bestattet, aber dann, einem Wunsch des bulgarischen Volkes entsprechend, nach Sofia überführt und dort zur letzten Ruhe gebettet. Seine Gattin Johanna, die 1908 bei der feierlichen Eröffnung des umgebauten Stefaniensaales mitwirkte, folgte erst 1951 ihrem Mann in den Tod und ist am Leonhardfriedhof bestattet.

Die Villa Hartenau in der Leechgasse, vorläufig noch Erziehungsstätte für Kinder.

In diesem Haus in der Herdergasse Nr. 3 logierte einst Louis Bonaparte.

Von der Leechgasse bummeln wir nun durch die Hartenaugasse hinauf in die Schubertstraße und von dort auf den „Herderberg“, zum einstigen Wohnsitz von Napoleons Bruder Louis Bonaparte, der zuerst im Palais Welsersheimb am Eisernen Tor logiert hatte, als er als König von Holland abdankte und, schon von seiner Gattin Hortense Beauharnaise geschieden, nach Graz kam. Wie sehr ihn diese Trennung traf, geht aus einem Gedicht hervor, das wir schon neben der Kirche von Mariagrün gelesen haben, wohin der sentimentale Louis immer wieder Spaziergänge unternahm. Louis, der als „Graf von Saint Leu“ in der Herdergasse Nr. 3 lebte, gab seinen Besitz an Napoleons jüngsten Bruder Jerome weiter, der als König von Westfahlen mit dem Spitznamen „König Lustig“ in die Geschichte einging. Jerome, der sich später „Graf von Montfort“ nannte, war mit der Prinzessin Katharina von Württemberg verheiratet und hatte mit ihr einen Sohn, der 1874 in Graz geboren wurde und den Namen Jerome Napoleon Charles erhielt und der, wie sein Vater, den Inkognitonamen Montfort benutzte.

Der Balkon der Heimstätte von Louis Bonaparte, heute Sitz des Volksbildungswerkes.

Vom „Herderberg" wandern wir, weil wir noch gut bei Fuß sind, zurück zur Villa Hartenau, dann zum Tegetthoffplatz, wo wir dem Standbild des großen Seehelden unsere Reverenz erweisen und gelangen in die Leonhardstraße, der wir nach rechts stadteinwärts folgen bis zur Beethovenstraße, um zur Linken das gemütliche Lokal „Girardikeller" in Augenschein zu nehmen. Es ist so benannt, weil der Schauspieler Alexander Girardi in diesem Vorstadthaus geboren wurde und auch seine Kinder- und Lehrlingsjahre als angehender Schlosser verbrachte. Dann gehen wir durch die Beethovenstraße, in der wir die gut gepflegte Substanz der alten Häuser bewundern, und gelangen in die verkehrsreiche Elisabethstraße. Wenn wir ihr stadteinwärts folgen, staunen wir zunächst über das in diesem Straßenzug völlig deplatzierte „Elisabethhochhaus", das mit 24 Stockwerken höchste Haus der Stadt, wenden uns dann aber dem Haus Elisabethstraße Nr. 14 zu, in dem am 15. Mai 1862 Johann Nestroy starb, der sich 1860 ebenfalls nach Graz zurückgezogen hatte. Und nicht nur, weil es so schön nahe ist, sondern weil es kaum einen schöneren Gastgarten und gemütlichere Gasträume in Graz gibt, beschließen wir diesen doch anstrengenden Rundgang beim „Laufke" an der Ecke zur Brandhofgasse.

Das Geburtshaus Alexander Girardis, heute eine überaus beliebte Gaststätte.

Mit 24 Stockwerken überragt das Elisabethhochhaus die Palais.

Die Gustostückerl des sechsten Tages:

- Kaiser Leopold I. in Schloss St. Gotthard
- Burgruine als Steinbruch
- Barockjuwel Gösting
- Das Ferrischlössl und die „Schwarze Gräfin"
- Gösting brennt
- Neugotik pur im Herz-Jesu-Viertel
- Thaddäus Stammel in St. Martin
- „Alter Telegraf" oder „Wirtshaus Greiner"
- Die Washingtons in Graz
- König von Bulgarien liebt Opernsängerin aus Linz
- Napoleon im Schülerheim
- Don Carlos Sippschaft
- Schlosserlehrling Alexander Girardi
- Das höchste Haus am falschen Platz
- Im Garten des „Laufke"

Letzte Ruhe – neue Kunst

VII

Den letzten Tag unserer Streifzüge durch Graz statten wir mit einem Kontrastprogramm aus, das es in sich hat. Wir besuchen die wichtigsten Friedhöfe der Stadt, um an ausgewählten Beispielen, die uns zum Teil in die Monarchie zurückführen, festzustellen, wie viele bedeutende Leute in Graz zur letzten Ruhe gebettet wurden und wieviel diesen Leuten ihre letzten Ruhestätten wert oder nicht wert waren. Und weil wir unsere Spaziergänge bzw. Fahrten nicht mit den letzten Stationen der Menschen abschließen wollen, machen wir im zweiten Teil des Tages einen „Rundgang im Geiste" zu bemerkenswerten Stationen der Gegenwartskunst, von denen es in Graz einige gibt.

Das Paulustor, eines der beiden erhaltenen Tore der einstigen Stadtbefestigung.

Weil die Friedhöfe in den verschiedenen Himmelsrichtungen und nicht gerade im Stadtzentrum angesiedelt sind, bleibt uns wiederum nichts anderes übrig, als uns mit einem fahrbaren Untersatz auf den Weg zu machen. Weil Krankenhäuser ein guter Übergang zu den Stätten sind, die wir aufzusuchen gedenken, treffen wir uns wieder beim Paulustor, diesmal aber, um vorerst einen Blick in Richtung Stadt zu wagen. Hier treffen wir nämlich gleich hinter dem Tor auf eine Zusammenballung von ehemaligen Krankenhäusern, die heute freilich ganz anderen Zwecken dienen. Gleich links sehen wir die reich verzierte und mächtige Fassade des Palais Wildenstein, in dem die Polizeidirektion residiert und das bis 1912 das Krankenhaus der Stadt Graz war, bis der Neubau in St. Leonhard als größte geschlossene Jugendstilanlage Europas fertiggestellt war. Von den Zuständen im alten Krankenhaus gibt es genaue Beschreibungen, in denen es u. a heißt: „Die Kranken wurden sowohl nach der Art ihrer Krankheit, als auch nach ihrem Geschlecht und den verschiedenen Zahlungsklassen untergebracht. In erster

Das Palais Wildenstein, heute Polizeidirektion, bis 1912 ein Krankenhaus.

Beziehung werden sie in fünf Abteilungen untergebracht und zwar in einer medizinischen, in einer chirurgischen, in einer syphilitischen, in einer krätzigen und in der Augenklinik." Zur Einrichtung ist festgehalten: „Die Betten stehen zwei bis drei Schuh voneinander entfernt. Die etwas schmalen Bettstellen sind von Eisen nach innen, aber am Fußende und seitwärts mit Brettern verwandet. Das Bettzeug besteht aus einem Strohsack, einer Matratze, einem Leintuche, einem rosshaarenen und einem mit Stroh gefülleten Kopfpolster und nach der Jahreszeit aus einer lodenen und wollenen Decke ... Die meisten Säle mit acht bis zwanzig Betten sind mit einem bequemen Lehnstuhle, mit Waschkästen und mit Wanduhren versehen."

Auf der anderen Straßenseite erreichen wir über eine Stiege den Eingang zur Antoniuskirche, neben der sich der Eingang zum erst 2002 völlig neu gestalteten Volkskundemuseum des Joanneums befindet, das früher Kapuzinerkloster und dann das Irrenhaus der Stadt war. Auf dem Platz vor der Kirche wurden von den Gegenreformatoren im Jahr 1600 zehntausend protestantische Bücher verbrannt. Neben dem Stiegenaufgang zur Kirche gelangen wir über die schräge Auffahrt zur sogenannten „Palmburg", in der heute das Bezirksgericht für Strafsachen unterge-

Die Antoniuskirche, vor der 1600 tausende protestantische Bücher verbrannt wurden.

bracht ist und die nach 1761, als ihre Besitzer, die Sauraus, wieder in ihr Stammhaus in der Sporgasse zogen, das Gebär- und Findelhaus der Stadt war. Hier stoßen wir auf die Vorläufer der anonymen Geburt, von der heute so viel die Rede ist. Schwangere, die den höheren Gesellschaftsklassen angehörten, brauchten nämlich nicht einmal ihren Namen angeben. Sie hinterlegten lediglich einen versiegelten Brief, der nur geöffnet wurde, „wenn sie durch Tod abgingen“. Zudem hatten alle, die hier Zuflucht nahmen und zahlen konnten, das Recht, verkleidet, mit Larven oder sonst unkenntlich gemacht, zu erscheinen und nach der Geburt sofort wieder zu verschwinden. Das Neugeborene konnten sie mitnehmen, oder, wenn sie zahlen konnten, zurücklassen. Frauen, die kein Geld hatten, mussten ihren Aufenthalt abarbeiten und sich, wenn sie dazu imstande waren, als Amme dem Findelhaus zur Verfügung stellen. Allein 1790 – so ist es überliefert – wurden in diesem Findelhaus mehr als 1200 Kinder abgegeben bzw. zurückgelassen.

Die „Palmburg“, Domizil des Bezirksgerichts für Strafsachen.

Nun machen wir den Schritt vom Leben zum Tod und setzen uns in Richtung Zentralfriedhof im Südwesten von Graz in Bewegung. Wir fahren über die Keplerstraße zum Bahnhof, von dort nach links über die Gürtelstraße in die Triester Straße bis zum Haupteingang des Friedhofs, durch den wir einen schönen Blick auf die Aufbahrungshalle mit Kirche haben. Geplant wurde die gesamte Anlage von Karl Lauzil im Jahr 1885 im Stil der italienischen Gotik und es war vorgesehen, den ganzen Friedhof mit Arkadengängen zu umfangen. Dafür reichte aber das Geld nicht. So konnte nur ein Stück davon realisiert werden in dem sich die Domherrngruft befindet, mit einem von Peter Neuböck gestalteten Kruzifix als Schmuck. Der Zentralfriedhof ist der größte von Graz, er ist interkonfessionell und international, wie wir an den verschiedenen Gedächtnisstätten erkennen.

Kirche und Aufbahrungshalle des Zentralfriedhofes.

Außer einem „Internationalen Mahnmal“ für die Opfer des Nationalsozialismus, das erst 1961 von Boris Kobe geschaffen wurde und das aus einer weit gespannten Brücke besteht, einem Altarsockel und einer 20 Meter hohen Säule, die in elf Sprachen die Inschrift „Hütet Freiheit und Frieden, denn wir starben für sie“ trägt, gibt es eine Gedenkstätte für 4.208 Soldaten, die im Ersten Weltkrieg gefallen sind. Ein weiteres Gedenkmal ist „Den im Jahre 1934 gefallenen Helden der Pflicht“ gewidmet, eines den Bombenopfern des Zweiten Weltkriegs und eines, das mit Mosaiken geschmückt ist und auf dem „Hier ruhen 140 Männer und 2 Frauen, die in den letzten Wochen der nationalsozialistischen Gewaltherrschaft am Feliferhof und in der SS-Kaserne Wetzelsdorf hingerichtet wurden“ steht. Hinter der Friedhofskirche stoßen wir auf das „Russendenkmal“ mit Sowjetstern, Hammer und Sichel. Seit jüngerer Zeit gibt es auch ein islamisches Gräberfeld.

Auf dem riesigen Friedhof mit 25 Hektar Fläche und 6,5 Kilometer Wegnetz finden wir auch die Grabstätten zahlreicher Prominenter und deren Familien. Oktavia Aigner Rollet, die erste in Graz promovierte Ärztin ist hier ebenso bestattet wie der Volksschauspieler Rudof Carl, der Nobelpreisträger Fritz Pregl, die Motorpioniere Johann Puch und Hans List, der Industrielle Hans Mayer-Rieckh und schließlich Formel-1-Weltmeister Jochen Rindt.

Jener Teil der Arkaden, die nach der Planung den gesamten Friedhof umfassen sollten.

Die Ehrengräber des Schauspielers Rudolf Carl …

… sowie des Formel 1-Weltmeisters Jochen Rindt.

Vom Zentralfriedhof lassen wir uns, weil es geografisch am günstigsten ist, zum Israelitischen Friedhof, Alte Poststraße/Wetzelsdorfer Straße, bringen, auf dem wir nicht nur einer Aufbahrungshalle begegnen, die 1938 zerstört, als Neubau mit einem Kuppelsaal in der Mitte der ursprünglichen Anlage nachempfunden ist. Wir begegnen auf den Grabsteinen auch den Namen vieler angesehener Bürger von Graz und einem Mahnmal, das an die jüdischen Gefallenen im Ersten Weltkrieg erinnert sowie einer Grabstätte von 13 Juden, die ebenfalls im Ersten Weltkrieg im Zivilinternierungslager Thalerhof „einer Seuche zum Opfer fielen".

Wunderschöne Gräber auf dem Israelitschen Friedhof.

Von hier fahren wir zum Steinfeldfriedhof in der Friedhofsgasse, um dort der schlichten letzten Ruhestätte von Landeshauptmann Josef Krainer einen Besuch abzustatten, der von 1948 bis 1971 mit fester Hand das Land regierte und den Wiederaufbau entscheidend mitprägte.

Jetzt nehmen wir den Weg in den Südosten von Graz und besuchen dort den St. Peter Stadtfriedhof in der Petersgasse und den anschließenden Evangelischen Friedhof, der seit Juni 2002 über eine schöne Aufbahrungshalle verfügt, die durch den großzügigen Nachlass einer Grazerin ermöglicht, von Architekt Werner Hollomey geplant wurde. Wir besuchen zunächst den katholischen Teil des Friedhofs und finden hier die Grabstätten vieler prominenter Familien aus dem Adel, der betuchten Bürgerschaft und der Künstlerschaft, die sich zum Teil sehr schöne Grabstätten im Stil der Neugotik, des Klassizismus oder des Jugendstils errichten ließen. Was auffällt ist, dass es bedauerlicherweise kaum Grabstätten gibt, die von Gegenwartskünstlern gestaltet sind. Ob das mit einer geänderten Einstellung zum Tod, zur repräsentativen Anwesenheit über das irdische Leben hinaus oder auch mit einer neuen „Sparsamkeit in Geschmacksfragen" zu tun hat, wage ich nicht zu beantworten.

Das „Stelengrab" von Generalfeldmarschall Leutnant Hartman von Hartmannsthal.

Besonders stechen uns die Grabstätten der Antonia Fürstin Salm mit Tempelfassade, des Freiherrn von Mandell in leider desolatem Zustand und das Tumbagrab des Feldzeugmeisters Freiherr von Zach mit Sandstein-Löwenfigur ins Auge und das Tumbagrab von Feldmarschallleutnant Carl Friedrich

Das Tumbagrab des Feldzeugmeisters Freiherr von Zach.

Das Grab von Hans Brandstätter, dessen Figur „Vergänglichkeit" er selber schuf.

Gustav von Langenau, welches von den vier genannten im besten Zustand ist. Eine besonders interessante Grabstätte ist das „Stelengrab" des k. u. k. Generalfeldmarschalls Hartman von Hartmannsthal. Einige Grabstätten ziert plastischer Schmuck von Hans Brandstetter, so das der Familien Trigler und Bardolff sowie sein eigenes mit einer Sandsteinfigur der „Vergänglichkeit". Grabstätten mit Kunstwerken von Wilhelm Gösser und Alexander Silveri fallen uns ebenso auf, wie die bescheideneren und doch repräsentativen Grabdenkmäler der Familien Attems, des Bürgermeisters Wilhem Kienzl, des Malers Alfred Zoff und vieler anderer. In einem bescheidenen Grab ruht seit 2002 der Dichter Alois Hergouth. Unsere besondere Aufmerksamkeit verdient auch das Holzkruzifix von Jakob Gschiel aus dem Jahr 1879, im Bereich des östlichen Eingangs, und die aus jüngerer Zeit stammende, transparente Aufbahrungshalle aus Glas.

Die mächtigsten Grabdenkmäler finden wir allerdings im evangelischen Teil, der durch seinen hohen Baumbestand wie ein Park wirkt und der seit 2001 mit dem katholischen Stadtfriedhof endlich durch ein Tor in der trennenden Mauer verbunden ist. Besonders stechen durch ihre aufwändigen Aufbauten die Grabdenkmäler der

Das bescheidene Grab des bedeutenden Malers Alfred Zoff und seiner Familie.

Das kunstvoll gestaltete Grabmahl des Gewerken Lapp.

Familie des Industriellen Jakob Lapp, der Familie von Reininghaus, die Grabkapelle der Familie Weitzer und das Grabmahl Friedrich Hoffmanns hervor. Hier befindet sich auch das schwarze Marmorgrabmahl der Familie Washington und bescheidenere Grabstätten, z. B. jene von Carl Rotky und des Kabarettisten und Komponisten Dieter Gogg. Wir könnten hier in St. Peter noch viele, mit liebevollen Details ausgestattete Gräber und Grüfte aufsuchen und auf so manchen bekannten Namen treffen.

Die Zeit drängt uns aber, den Leonhardfriedhof in der Riesstraße im Osten der Stadt zu Füßen des Ruckerlbergs und das Landeskrankenhaus im Angesicht, zu besuchen und uns damit

Neugotisches Kapellengrab der Familie Reininghaus.

Familiengrab der Reininghaus mit Reliefbüste.

jenem Gottesacker zu nähern, von dem ein Journalist einmal schrieb „Die halbe Monarchie ist hier begraben.“.

Sehen wir von dem im nordöstlichen Bereich des Friedhofs befindlichen Holzkruzifix mit der Mater Dolorosa von Jakob Gschiel ab, sticht hier die Grabkapelle des Anton Graf Prokesch-Osten ins Auge, die von Theophil Hansen entworfen wurde. Bei einem längeren Bummel durch die Gräberreihen werden wir noch auf beachtliche Kunstwerke von Hans Brandstetter, z. B. bei den Grabdenkmälern von Robert Hamerling und den Familien Lampl, Scherger, Baron Prokop und der Baronin Rokitnasky, stoßen.

Die Grabkapelle des Anton Graf Prokesch-Osten.

Das von Hans Brandstätter gestaltete Grab von Robert Hamerling.

Auf Werke von Wilhelm Gösser treffen wir bei den Gräbern von Willhem Fischer, Bruno Ertler und Hans Friedl. Große Namen sind es, denen wir noch begegnen, wie z. B. Richard Freiherr von Krafft-Ebing, der den Begriff des Masochismus prägte, Carl Ludwig Seydler, Komponist des Dachsteinliedes, der inoffiziellen Landeshymne der Steiermark, Moritz Ritter von Franck, Bürgermeister und Schöpfer des Stadtparks und Jakob Lorber, der Mystiker, dessen Geburtshaus in der Neuen-Welt-Gasse steht. Wir stoßen auf die Grabstätten der Opernsängerin Johanna Loisinger, der Gattin des Grafen Hartenau, des Grazer

Bürgermeisters Andreas Hüttenbrenner, des Architekten Friedrich Zotter, der eine ganze Generation von Architekten prägte, und dann wieder zurück in der Geschichte, auf das Grab Wilhelm von Tegetthoffs, des Feldzeugmeisters Ludwig von Benedek, des Bildhauers Gustinus Ambrosi, mit von ihm selber geschaffenen, nach oben gerichteten Händen, und des Landeshauptmanns Wilhelm von Kaan sowie des weit unterschätzten Malers Alfons Werner und seiner Schwester Ilse Werner, bekannte Solosopranistin des Grazer Domchors und auf das Grabmahl des Bankiers und großen Menschen Generaldirektor Königswieser. Wir verlassen den Friedhof auf unorthodoxe Weise zur Leonhardkirche hin und finden auf diesem Weg jenen berührenden Teil des Friedhofs, der von Bewohnern des Vinzidorfes – ein Containerdorf am Rande des Friedhofs – errichtet für Ausgestoßene der Gesellschaft, denen hier ein letzter Rest an Menschlichkeit geschenkt wird – für ihre verstorbenen Mitbewohner selber gestaltet wurde. Hier finden wir, mit dem Herzen errichtete Erinnerungsstätten an Menschen, die zum Treibgut der Gesellschaft geworden, von ihresgleichen verewigt, zu Bleibgut geworden sind.

Grabstätte des Bürgermeisters Andreas Hüttenbrenner.

Bevor wir nun hinübergehen zum „Schanzlwirt“, dem ältesten Gasthaus der Stadt, um Labung zu erhalten, schauen wir noch rasch in den Vorhof der Leonhardkirche, zum Gekreuzigten mit Maria zu seinen Füßen. In ihrer Brust steckte der Originaldegen eines französischen Offiziers, der als Zeichen der Dankbarkeit der Madonna verehrt wurde, weil der schwerverletzte Soldat von der Familie Carl Ludwig von Seydlers, die im neben der Kirche gelegenen Schulhaus, die Wohnung des Schuldirektors bewohnte, liebevoll gesund gepflegt wurde. Der Degen ist allerdings nicht mehr da. Offensichtlich wurde er Opfer eines Waffennarren, der zwischen mein und dein nicht zu unterscheiden weiß.

*Der Schanzlwirt,
das älteste Gasthaus von Graz.*

Im Gastgarten des „Schanzlwirts", unter breit ausladenden Kastanien, nehmen wir Bodenständiges zu uns und kommen zum Entschluss, unsere „Reise durch Graz" nicht bei denen, die vor uns waren abzuschließen, sondern mit jenen, die mit ihren heute geschaffenen Kunstwerken eine besondere Qualität in unser Leben bringen und als Seismografen der Gesellschaft, die Entwicklung der Welt registrieren.

Da das Angebot an Kunst im öffentlichen Raum in dieser Stadt relativ groß ist, sind wir mit keinem Verkehrsmittel in der Lage, an einem Halbtag all diese Kunstwerke zu besuchen und wenigstens kurz anzuschauen. Ich entschließe mich deshalb dazu, die Kühle unter den Bäumen zu genießen und Ihnen eine Reise von Kunstwerk zu Kunstwerk vorzuschlagen, wobei Sie Zeit und Route frei wählen können. Ich werde mit Ihnen daher eine Reise vor unseren geistigen Augen machen. Losgelöst von allem, was uns bindet, werden wir eine Auswahl von Werken in Augenschein nehmen und ihnen je nach persönlichem Geschmack und Zugang Zeit und Aufmerksamkeit widmen. Den Beginn machen wir im Stadtinneren beim „Lichtschwert" von Hartmut Skerbisch neben der Oper und bei seinem „Brunnenkunstwerk" vor der Barmherzigenkirche in der Annenstraße, welches den kleinen Seehundebrunnen abgelöst hat. Das „Schirmkunstwerk", liebe-

Spannender Kontrast: der Springbrunnen und das Schirmkunstwerk Serge Spitzers.

Eines der bekanntesten Werke unserer Zeit: Gerhard Moswitzers „Gedenkmal" an des Jahr 1934.

voll „Rostiger Nagel" genannt, von Serge Spitzer, zwischen Stadtparkbrunnen und Forum Stadtpark, welches diesem Platz eine besondere Spannung verleiht, wollen wir ebenfalls in unserem Programm haben, wie die wahrscheinlich bedeutendste Arbeit eines Bildhauers der Gegenwart, nämlich Gerhard Moswitzers bemerkenswertes Erinnerungmahl an die Ereignisse im Jahr 1934 auf dem Platz vor dem Hauptbahnhof.

Im Skulpturenpark des ORF-Zentrums in St. Peter treffen wir Arbeiten von wichtigen Künstlern wie Erwin Wurm, Josef Pillhofer, Michael Kienzer und Othmar Krenn. An dieser Stelle sei die Anmerkung gestattet, dass etwas außerhalb von Graz, bei den Schwarzelteichen ein „Österreichischer Skulpturenpark" im Entstehen ist, der vom Land Steiermark, der Porr AG und bedeutenden Sponsoren finanziert wird. Das „Weltraumkunstwerk" von Richard Kriesche auf dem Schlossberg dürfen wir ebenso wenig auslassen, wie die „Lichtstäbe" von Fedo Ertl und Christian Marzcik in der Grabenhofstraße. Im Bereich der Hochschulen betrachten wir Rudi Molaceks „Installation zum Thema Tulpen" im Institut für Pflanzenphysiologie in der Schuberststraße, Bruno Gironkolis „Skulptur im Wasserbecken" im Freibereich der TU Inffeldgasse, die Gemeinschaftsarbeit von Manfred Erjauz und Michael

Textilkunstwerk von Erwin Wurm vor dem Neubau der Musikuniversität.

Kienzer im Universitätsinstitutsgebäude in der Merangasse, Richard Kriesches „Mediale Skulptur“ im Straßenraum der TU Infeldgasse, Waltraud Coopers computergesteuerte Neon-Licht- und Musikinstalation im GAMA der Universität in der Heinrichstraße, Gerhard Lojens „Raumpartitur“ bei der Musikuniversität und Erwin Wurms „Akkord“, vor deren Neubau. Nicht übersehen dürfen wir die vierteiligen Arbeiten von Janis Konellis und Franz Graf, sowie das Fassadenbild Franz Gappmayrs beim RESOWI der Universität.

Ziegelskulptur von Per Kirkeby vor der Ortweinschule.

Per Kirkeby besticht durch eine Ziegelskulptur vor der Ortweinschule in der Körösistraße und von Gustav Troger finden wir Arbeiten im Skulpturenpark des ORF, im Pathologischen Institut der Universität, in der Herz-Jesu-Kirche, wo er einen transparenten Volksaltar schuf und in der Andräkirche. Auch Karl Prantls Volksaltar in der Leechkirche und der Volksaltar von Wolfgang Rahs in der Kalvarienbergkirche dürfen nicht übersehen werden. Wenn wir schon bei sakralen Kunstwerken sind, dürfen wir auf keinen Fall die Kirche zu St. Lukas am Eggenberger Gürtel vergessen, die unter den modernen Kirchen in Graz mit Abstand die komplexeste und durchdachteste ist. Othmar Krenn hat hier unter geistiger Anleitung von Josef Fink einen Raum geschaffen, der Symbole unserer Zeit mit dem Überzeitlichen verbindet und der in blau-weiß-metall

Teil der „Raumpartitur“ Gerhard Lojens vor der Musikuniversität.

St. Lukas, die stimmigste Kirche, die im 20. Jahrhundert in Graz errichtet wurde.

schimmernder Schlichtheit einen Sakralraum von stimmiger Geschlossenheit darstellt. Besonderes Augenmerk verdient in diesem Raum das Kreuz, das mit verschiedenen Sandarten aus der Wüste Sinai gefüllt ist und auf den Wanderstab Moses hinweist.

Von Jorrit Tornquist besuchen wir einen Innenhof mit Skulpturen im Bundesrealgymnasium St. Peter und von Ferdinand Penker eine Stahlskulptur im Innenhof des Amtsgebäudes in der Stempfergasse. Sehr stark sind die Arbeiten von Jorrit Tornquist beim Heizhaus der Uni in der Heinrichstraße und die Skulpturen von Ferdinand Penker vor der Bundespolizeidirektion in der Karlauer Straße, während Wolfgang Buchers „Sonnenuhr“ auf der Fassade des Landesarchivs am Karmeliterplatz zu verblassen beginnt. Festgefügt und dauerhaft sind die plastischen Arbeiten von Othmar Krenn und Gerhard Moswitzer

Die „Sonnenuhr“ von Wolfgang Buchner am „Haus der Geschichte“ auf dem Karmeliterplatz.

im Humanic Hof am Hauptplatz und eine schöne Arbeit von Jannis Avramides im Generalihof in der Herrengasse Nr. 9.

Es ist viel und zum Teil hochkarätige moderne Kunst, die wir jetzt im Geiste konsumiert haben und die wir im Kopf mitnehmen, wie hoffentlich viele gute Eindrücke von unserer siebentägigen „Rundreise durch Graz", bei der ich Sie begleiten durfte. Ich danke für die Geduld, für die Aufmerksamkeit und für das Verständnis, dass nur Bruchstückhaftes, aber hoffentlich viel Neues dabei war.

Die Gustostückerl des siebten Tages:

- Palais, Krankenhaus, Polizeidirektion
- Irrenhaus im Volkskundemuseum
- Anonyme Geburt im Bezirksgericht
- Interkonfessionell und international: der Zentralfriedhof
- Von Fritz Pregl bis Jochen Rindt
- 13 jüdische „Seuchenopfer"
- Prunkgräber in St. Peter
- Leonhard „Hier liegt die halbe Monarchie begraben"
- Kunstmedidation beim „Schanzlwirt"
- Skulpturen, Installationen, Volksaltäre
- Stimmige Geschlossenheit St. Lukas
- Eine verblassende Sonnenuhr

Anhang

Eine Zusammenfassung der einzelnen Stationen unserer siebentägigen Reise durch Graz.

DER ERSTE TAG

Hauptplatz
- Adlerapotheke
- Erzherzog-Johann-Denkmal
- Weißsches Haus
- Rathaus
- Haus „Zur blauen Kugel“
- Steigeregg
- Luegg

Albrechtsgasse
- Congress

Landhausgasse
- Casino

Franziskanergässchen

Franziskanerplatz
- Franziskanerkloster

Neue-Welt-Gasse

Kälbernes Viertel

Feuergässchen

Hauptbrücke

Murgasse

Paradeisgasse
- Paradeishof
- Admonter Hof

Sackstraße
- Palais Herberstein/Neue Galerie
- Palais Khuenburg
- Palais Attems

Schlossbergplatz
- Reinhof
- Alte Münze

Sackstraße
- Domenig Haus
- Schlossbergbahn
- Dreifaltigkeitskirche
- Hotel Erzherzog Johann
- Bäckerei Wolfbauer
- Krebsenkeller

Sporgasse
- Apotheke „Zum goldenen Hirschen“
- Haus des Deutschen Ritterordens
- Stiegenkirche
- Zur goldenen Pastete
- Palais Saurau

Karmeliterplatz
- Dreifaltigkeitssäule
- Haus der Geschichte
- Palais Galler

Pfauengarten

Freiheitsplatz
- Schauspielhaus
- Lambrechterhof
- Standbild Kaiser Franz I.
- Hofbäckerei Edegger-Tax
- Taubenkobel

Bürgergasse
- Mausoleum
- Dom
- Jesuitenuniversität

Hofgasse
- Burg
- Doppelwendeltreppe

Stadtpark
- Café Promenade
- Künstlerhaus
- Jugendstil-WC

Burggasse
- Dompfarrhof
- Palais Trauttmansdorff

Opernring
- Peter-Rosegger-Denkmal
- Rosarium
- Oper
- Thalia-Theater
- Lichtschwert

Kaiser-Josef-Platz

Am Eisernen Tor
- Springbrunnen
- Mariensäule
- Palais Welsersheimb

Herrengasse
- Stadtpfarrkirche
- Thonethof
- Bärenapotheke
- Zeughaus
- Landhaus
- Palais Breuner
- Das Gemalte Haus

Schmiedgasse

Raubergasse
- Joanneum

Neutorgasse
- Joanneum Haupteingang
- Alte Galerie

Sporgasse
- Zur Goldenen Pastete

DER ZWEITE TAG

Jahngasse
- Landesturnhalle

Parkstraße
- Salvatorapotheke

Wickenburggasse
Weldenstraße
- Statue van Weldens
- Schlossberggärtnerei

Schlossberg
- Hackher-Denkmal
- Zisterne
- Burgtor beim hinteren Zwinger
- Kasematten
- Glockenturm
- Schlossbergbahn
- Schlossbergrestaurant
- Weltraumkunstwerk
- Stall- oder Kanonenbastei
- Chinesischer Pavillon
- Türkenbrunnen
- Starcke Häuschen
- Uhrturm
- Herbersteingarten
- Steinerner Hund
- Friedenssteig
- Schlossberglift
- Dom im Berg

Mursteig
- Acconici-Insel

Sackstraße
- Café Konditorei König

DER DRITTE TAG

Franziskanerplatz
Hauptbrücke
Igelgasse
- Geburtshaus Wilhelm Thönys

Südtiroler Platz
- Kunsthaus

Mariahilferstraße
- Palais Thienfeld
- Gasthof „Zum Mohren"
- Hotel „Maria Hilf"

Mariahilferplatz
- Mariahilfer Kirche
- Minoritenkloster

Annenstraße
- Barmherzigenkirche

Dominikanergasse
- Bürgerspitalkirche

Kerstockgasse
- Geburtshaus Karl Böhms
- Andräkirche

Grenadiergasse
- Ehem. Dominikanerkloster

Sterngasse
Griesplatz
- Welsche Kirche
- Hotel „Zu den fünf Lärchen"

Giesgasse
Grieskai
- Hotel „Weitzer"
- Hotel „Wiesler"

Eggenberg
- Schloss Eggenberg

Jakominiplatz
Hans-Sachs-Gasse
Bischofsplatz
- Palais Inzaghi

Stempfergasse
- Palais Katzianer
- Keplerkeller

Mehlplatz
- Geburtshaus Robert Stolz

Prokopigasse
- Café M1

DER VIERTE TAG

Kaiser-Josef-Platz
Franz-Graf-Allee
Dubrovnik-Allee
Montclair-Allee
- Wetterhäuschen

Glacisstraße
Burgstern
- Denkmal Robert Hamerlings
- Büste Josef Krainers
- Büste Hanns Korens

Erzherzog-Johann-Allee
Wilhelm-Fischer-Allee
Stadtpark-Zentrum
- Künstlerhaus

>

- Freiheitsdenkmal
- Waldlilie
- Mozartbüste
- Büste Franz Nabels
- Denkmal Moritz Ritter v. Francks
- Stadtparkbrunnen
- Forum Stadtpark
- Statue der „Austria“
- Statue der „Styria“

Zinzendorfgasse
- Leechkirche

Dammallee
- Denkmal Johannes Keplers
- Katholikentagskreuz
- Büste Hans Pircheggers

Geidorfplatz
Liebiggasse
Johann-Fux-Gasse
Herderberg
- Villa Louis Bonapartes

Schubertstraße
- Pflanzenphysiologisches Institut
- Gewächshäuser

Hilmteich
- Hilmwarte

Mariagrün
Reifentalgasse
- Kirche Mariä Verkündigung

Hans-Mauracher-Straße
Roseggerweg
- „Häuserl im Wald“

Mariatrost
- Wallfahrtskirche Mariatrost

Südtiroler Platz
Nikolai Platz
- Nikolausstatue

Grieskai
- Synagoge

Augartenbrücke
- Augarten
- Augartenbad

Friedrichgasse
- Museum der Wahrnehmung

Steyrergasse
Pestalozzistraße
Leitnergasse
Marburger Kai
Andreas-Hofer-Platz
Hauptbrücke
Murpromenade
- Nürnberger Häuser

Fellingergasse
- Fellinger Hof

Lendplatz
- Mariensäule
- Berufsfeuerwehrgebäude

Volksgartenstraße
- Volksgarten
- Denkmal Karl Morrés
- Stupa
- Evangelische Kreuzkirche

Lendplatz
- Gasthaus „Lendplatzl“

DER FÜNFTE TAG

Paulustor
Stadtpark
Parkstraße
Wormgasse
Peinlichgasse
Wastlergasse
Grillparzerstraße
- Margarethenbad

Richard-Wagner-Gasse
Humboldtstraße
Frankstraße
Muchargasse
Bergmanngasse
- Priesterheim

Körblergasse
- Wirtschaftskammer

Zusertalgasse
Hochsteingasse
- Ferrischlössl

Quellengasse
- Minoritenschlössl

Panoramagasse
- Café Rosenhain

Mozartgasse
Heinrichstraße
- Karl-Franzens-Universität
- RESOWI

Rechbauerstraße
- Alte Technik

Lessingstraße
Felix-Dahn-Platz
- Neue Technik

Steyrergasse
Leonhardstraße
- Musikuniversität
- MUMUT
- Parkhotel

Zinzendorfgasse
- Schuberthof

Kirchengasse

>

- Gymnasium

Grabenstraße
- Grabenkirche
- Grabenschlössl
- Bischöfliches Knabenseminar
- Bürgermeistervilla
- Karmelitinnenkloster
- Kirche Maria Schnee
- Steinbruchmaut

Körösistraße
- Ortweinschule
- „Gewerbestolz“

Robert-Stolz-Gasse

Kalvarienbrücke

Kalvariengürtel

Kalvarienberggasse
- Kalvarienberg
- Kalvarienkirche

Augasse
- Gasthaus „Jackl“

DER SECHSTE TAG

Paulustor

Geidorfplatz

Grabenstraße

Steinbruchmaut

Weinzöttlstraße
- Schloss St. Gotthard

Weinzöttlbrücke

Wienerstraße

Gösting
- Burg Gösting
- Schloss Gösting

Bahnhofgürtel

Keplerstraße

Babenbergerstraße
- Metahofschlössl

Keplerstraße

Lendplatz

Wickenburggasse

Hochsteingasse
- Ferrischlössl

Mozartgasse
- Meerscheinschlössl

Heinrichstraße

Kroisbach
- Schloss Kroisbach

Schillerplatz

Ruckerlberg

Hallerschlossstraße
- Hallerschloss

Naglergasse
- Herz-Jesu-Kirche

Friedrich-Hebbel-Gasse

Herrandgasse

Eduard-Richter-Gasse

St. Martin
- Schloss St. Martin

Straßgang
- Pfarrkirche

Rosenhain

Quellengasse
- Minoritenschlösschen

Grabenstraße
- „Zum alten Telegraphen“
- Wirtshaus Greiner

Grabenstraße
- Villa John Washingtons – Bürgermeistervilla

Humboldstraße
- Villa Alfonsos von Bourbon

Leechgasse
- Villa Hartenau

Herderberg
- Wohnsitz Louis Bonapartes

Tegetthofplatz
- Standbild Tegetthoffs

Leonhardstraße
- Girardikeller

Elisabethstraße
- Elisabethhochhaus
- Restaurant Laufke

DER SIEBENTE TAG

Paulustorgasse
- Palais Wildenstein
- Antoniuskirche
- Volkskundemuseum
- Palmburg

Triester Straße
- Zentralfriedhof

Friedhofsgasse
- Steinfeldfriedhof

Petersgasse
- St. Peter Stadtfriedhof
- Evangelischer Friedhof

Riesstraße
- Leonhardfriedhof

>

Leonhardplatz
- Leonhardkirche
- Schanzlwirt

Oper
- Lichtschwert, Hartmut Skerbisch

Annenstraße
- Brunnenkunstwerk, H. Skerbisch

Stadtpark
- Schirmkunstwerk „Rostiger Nagel", Serge Spitzer

Bahnhofsplatz
- Erinnerungsmahl, Gerhard Moswitzer

Marburger Straße
- Skulpturenpark beim ORF-Zentrum

Schlossberg
- Weltraumkunstwerk, Richard Kriesche

Grabenhofstraße
- Lichtstäbe, Fedo Ertl und Christian Marczik

Schubertstraße
- Inst. f. Pflanzenphysiologie
- Installation zum Thema Tulpen, Rudi Molacek

TU Inffeldgasse
- Skulptur im Wasserbecken, Bruno Gironcoli
- Mediale Skulptur, Richard Kriesche

Merangasse, Universitätsgebäude
- Gemeinschaftsarbeit, Manfred Erjauz, Michael Kienzer

Heinrichstraße, Universitätsgebäude
- Instalation, Waltraud Cooper

Leonhardstraße, Musikuniversität
- Raumpartitur, Gerhard Lojen
- Akkord, Erwin Wurm

Geidorfgürtel, RESOWI
- Arbeiten von Janis Konellis, Franz Graf
- Fassadenbild, Franz Gappmayr

Körösistraße, Ortweinschule
- Ziegelskulptur, Per Kirkeby

Herz-Jesu-Kirche
- Volksaltar, Gustav Troger

Kernstockgasse, Andräkirche
- Volksaltar, Gustav Troger

Zinzendorfgasse, Leechkirche
- Volksaltar, Karl Prantl

Augasse, Kalvarienkirche
- Volksaltar, Wolfgang Rahs

Eggenberger Gürtel
- St. Lukas-Kirche, Othmar Krenn

Petersgasse, Bundesrealgymnasium
- Skulpturen, Jorrit Tornquist

Stempfergasse, Amtsgebäude Landesregierung
- Stahlskulptur, Ferdinand Penker

Heinrichstraße, Heizhaus Uni
- Arbeiten, Jorrit Tornquist

Karlauer Straße, Bundespolizeidirektion
- Skulpturen, Ferdinand Penker

Karmeliterplatz, Landesarchiv
- Sonnenuhr, Wolfgang Bucher

Herrengasse, Humanic-Hof
- Plastiken, Othmar Krenn, Gerhard Moswitzer

Herrengasse, Generalihof
- Plastik, Jannis Avramides

Zeittafel

600–1000: Vielleicht schon 600, mit großer Wahrscheinlichkeit aber im 10. Jh. bereits kleine Burg (Gradec) auf dem Schlossberg.
1128: Erste Nennung von Graz.
1164: Erwähnung märktischen Lebens in Graz, der Burg und des Reinerhofes beim ersten Sacktor.
1180: Die Steiermark wird zum Herzogtum erhoben.
1182: Urkundliche Erwähnung der Kirche St. Ägydius, des heutigen Domes.
1194: Herzog Leopold V. stirbt in Graz.
1215: Herzog Leopold VI. gründet die Grazer Münze.
Vor 1233: Ummauerung von Graz.
1245: Stadterhebung.
1259: Stefan von Ungarn, Regent der Steiermark.
1260: Przemysl Ottokar vertreibt die Ungarn und hält Hof in Graz.
1276: Reiner Schwur; der steirische Adel erhebt sich und stürzt Ottokar.
1281: Stadtprivileg König Rudolf I. für Graz.
1336: Die Stadt wird nach Osten erweitert.
1362: Herzog Rudolf IV. verleiht der Stadt einen Burgfried.
1364: Der älteste bekannte Stadttag wird in Graz abgehalten.
1411: Graz wird Residenz der leopoldinischen Linie der Habsburger.
1439: Erste Vertreibung der Juden aus Graz.
1452: Friedrich III. wird römisch-deutscher Kaiser; Graz wird seine Residenz; Ausbau von Burg und Dom.
1480: Die Türken zeihen brandschatzend an Graz vorbei.
1486: Die Stadt wird gegen Norden erweitert. Der zweite Sack entsteht.
1499: Die Doppelwendeltreppe in der Grazer Burg wird von Kaiser Maximilian erbaut.
1500: Graz hat rund 5.000 Einwohner.
1527: Baubeginn des Rittersaaltraktes des Landhauses.
1532: Wieder ziehen die Türken an Graz vorbei.
1544: Domenico dell'Allio wird beauftragt, eine neue Festung auf dem Schlossberg zu errichten.
1557–1565: Errichtung des Haupttraktes des Landhauses durch dell'Allio.
1564: Erzherzog Karl wird Herrscher von Innerösterreich und errichtet in Graz seine Residenz.
1568: Die protestantische Stiftsschule der Stände wird gegründet, an der Johannes Kepler lehrt.
1573: Karl holt die Jesuiten nach Graz.
1585: Karl II. und die Jesuiten gründen die Grazer Universität.
1600: Ausweisung protestantischer Bürger und Verbrennung von 10.000 protestantischen Büchern auf dem Platz vor der heutigen Antoniuskirche in der Paulustorgasse.
1615: Ferdinand II. erteilt den Auftrag zur Errichtung seines Mausoleums.
1619: Erzherzog Ferdinand II. wird Kaiser; der Hof wird nach Wien verlegt.
1633: Baubeginn von Schloss Eggenberg nach den Plänen von Giovanni Pietro de Pomis.
1643: Das ständische Zeughaus neben dem Landhaus wird errichtet.
1660: Erbhuldigung Kaiser Leopolds I. in Graz.

1673: Leopold I. heiratet in Graz und Abraham a Santa Clara errichtet das Augustinerbarfüßerkloster in Münzgraben.
1680: Die Pest tobt in Graz.
1728: Die letzte Erbhuldigung der steirischen Stände in Graz für Kaiser Karl VI. Aus diesem Anlass Pflasterung wichtiger Straßen und Beleuchtung der Stadt.
1774: Beginn des Baues des ständischen Theaters, damals Nationaltheater, heute Schauspielhaus, das 1776 eröffnet wird.
1782: Die Universität wird zum Lyzeum „degradiert".
1786: Graz wird Bischofsstadt.
1797: Die Franzosen unter Napoleon sind erstmals in Graz.
1809: Heldenhafte Verteidigung des Grazer Schlossbergs durch Major Hackher.
1811: Erzherzog Johann gründet das Joanneum in Graz.
1827: Wiedererrichtung der Universität durch Kaiser Franz I.
1840: Freiherr von Welden kann die Begrünung des Schlossberges in Angriff nehmen.
1845: Graz erhält eine Gasbeleuchtung.
1859: Erzherzog Johann stirbt im Palais Meran in Graz.
1874: Der Stadtparkbrunnen wird aufgestellt.
1878: Das Erzherzog-Johann-Denkmal am Hauptplatz wird errichtet, die Pferde-Tramway in Betrieb genommen.
1880: Graz überschreitet die 100.000-Einwohner-Grenze.
1887–1893: Umbau des Grazer Rathauses in seine heutige Form.
1889: Die erste elektrische Straßenbahn ist fertiggestellt.
1890: Johann Puch gründet seine Fahrradfabrik in der Strauchergasse.
1894: Fertigstellung der Schlossbergbahn und Beginn der Elektrifizierung von Graz.
1899: Die Architekten Fellner und Helmer errichten das Grazer Opernhaus.
1904–1912: Bau des Landeskrankenhauses, der größten geschlossenen Jugendstilanlage Österreichs.
1906: Die erste Grazer Südostmesse findet statt.
1925: Der Linienflugverkehr am Thalerhof wird aufgenommen, der erste Grazer Rundfunksender geht in Betrieb.
1928: Die elektrischen Straßenbahnen werden durch Autobuslinien ergänzt.
1934: Februaraufstand; es kommt zu blutigen Kämpfen in Eggenberg und Gösting.
1938: Schaffung von Groß-Graz.
1944–45: Schwere Bombenangriffe mit fast 2.000 Todesopfern. 16 Prozent des Wohnraums werden zerstört.
1945: Am 9. Mai besetzen die Sowjettruppen die Stadt, die von den Engländern abgelöst werden.
1948: Josef Krainer wird zum Landeshauptmann der Steiermark gewählt und bleibt es bis zu seinem Tod 1971.
1951: Bau der Seilbahn auf den Schöckel, den Hausberg der Grazer.
1960: Das Forum Stadtpark wird eröffnet.
1963: Auf Initiative von Hanns Koren erfolgt die erste Trigon-Ausstellung, aus der der „steirische herbst" hervorgeht; Gründung der Hochschule für Musik und darstellende Kunst, die 1998 zur Universität erhoben wird.
1964: Wiedereröffnung des renovierten Schauspielhauses.
1968: Erster steirischer herbst in Graz.
1974: Verabschiedung des Grazer Altstadtgesetztes im Landtag.

1978: Graz feiert 850 Jahre seines Bestehens.
1980: Rund um den Stefaniensaal entsteht das Congress-Zentrum.
1984–85: Restaurierung und Ausgestaltung des Grazer Opernhauses.
1985: Gründung des Sommerfestivals Styriarte.
1993: Durchführung des „Europäischen Kulturmonats".
1996: Waltraud Klasnic ist die erste Frau Österreichs in der Funktion eines Landeshauptmanns.
1999: Die Altstadt von Graz wird zum Weltkulturerbe erklärt.
2000: „Dom im Schlossberg" und Lift zum Uhrturm werden fertiggestellt. Die 1938 niedergebrannte Synagoge wird wiedererrichtet.
2001: Baubeginn des Kunsthauses bei der Hauptbrücke und der „Stadthalle" bei der Grazer Messe.
2003: Graz ist Kulturhauptstadt Europas.

Quellen

Dehio Graz
Bearbeitet von Horst Schweigert, Anton Schroll Verlag, 1979
Die barocken Kirchen von Graz
Rochus Kohlbach, Grazer Domverlag, 1951
Heimat ist Tiefe, nicht Enge
Hanns Koren, Herausgeber Hans Dattinger, Steirische Landesdruckerei,1976
Graz - Funkelnder Talisman
Johannes Koren, Zsolnay Verlag, 1977
Unsere Stadt
Wolfgang Bahr, Stephan F.Huger, Edition Austria, 1997
Der Grazer Schloßberg
Peter Laukhardt, Verlag für Sammler
Graz - Rendezvous mit einer Stadt
Johannes Koren, Christian Jungwirth, Leykam Verlag, 1993
Grazer Beisl-Welten
Karl Kaser, Michaela Wolf, Leykam Verlag,1996
Graz - Ein Begleiter durch die Stadt
Edith Münzer, Heinz Heikenwälder, Styria Verlag, 1977
Schlösser und Burgen der Steiermark
Franz Attems, Johannes Koren, Pinguin Verlag, 1986
Kirchen und Stifte der Steiermark
Franz Attems, Johannes Koren, Pinguin Verlag, 1988
Skizze von Graz
Johannes Koren, Steirische Verlagsgesellschaft, 2001
Landeschronik Steiermark
Herausgeber Walter Zitzenbacher, Verlag Christian Brandstätter, 1988
Graz seit 1945
Gerald Schöpfer, Peter Teibenbacher, Leykam Verlag, 1995
Grazer Straßennamen
Karl A. Kubinzky, Astrid Wendtner, Leykam Verlag, 1996
Grätz
Gustav Schreiner, 1843, wieder herausgegeben und einbegleitet von Heinz Hiebl, Verlag für Sammler, 1977
Das andere Graz
Georg Kodolitsch, Heimo Widtmann, Verlag für Sammler, 1980
Graz - Die Welt in der Mitte
Andreas Kresbach, Edition Stahalm, 1999
Graz 1978
Johannes Koren, Verlag für Sammler, 1978
Planung für die Ewigkeit - Der Grazer Zentralfriedhof
Prospekt zur Ausstellung in der Stadtpfarrkirche, Karin Derler und Ingrid Habersack, 2001

Persönliche Gespräche mit Dompfarrer Monsignore Franz Lafer, Dr. Peter Laukhardt, Heinz Hiebl, Hubert Auer, Pfarrer Mag. Josef Ranftl, Rektor Univ.Prof. Dr. Otto Kolleritsch, Architekt Dipl.Ing. Hermann Eisenköck, DI Günter Koberg und vielen hilfreichen Grazerinnen und Grazern.